JN083061

魂の黄金法則

あなたの人生を
好転させる
積善の秘密

医師・ヒプノセラピスト
久保 征章

たま出版

はじめに

世の中には、成功する人、運がいい人、恵まれた環境に守られている人もいれば、失敗を繰り返す人、運が悪い人、不利な条件の多い環境で苦悩している人もいます。

私は、前世療法をおこなうなかで人々のさまざまな前世に触れ、多くの人々の人生の姿を知る機会に恵まれました。そのことから、**前世と今生（こんじょう）は原因と結果の法則（因果応報の法則）によってつながっており、人の運命に大きな影響を与えている**と確信しました。

そして、この原因と結果の法則を正しく運用しさえすれば、自分の運命を思い通りに改善して、幸せになれるということもわかってきました。

この原則に沿って、悩みを抱える人にアドバイスをするうちに、相談者の多くが、苦境から脱出して、幸せをつかみ、すばらしい人生を創造していくようになりました。

成功し、幸せになるには天地自然の法に沿ったやり方があります。それは流れに逆らったり、向かい風に向かって闇雲に突き進むものではありません。まず流れを調えること。そして、向かい風が止んで、追い風が吹くようにすることなのです。

本書でお伝えする積善造命法を実践し続ければ、ごく自然に波に乗り、風に乗り、成功していくことができるでしょう。天地自然を味方にする生き方は、副作用やデメリットがなく、安全で安心な道であり、歴史に残る成功者たちも実践してきたことなのです。

あなたが今、どんなスタート地点に立っていたとしても、**本書の内容を理解して忠実に実践していけば、恋愛、仕事、お金、対人関係、家族の問題、生きがい、健康や寿命を延ばすことまで思い通りにできるようになります。**あなたが苦境に立ち、周囲の何者かの悪意に苦しめられているような状況であったとしても、向かい風を終わらせ、人生を大逆転できるでしょう。

本書の内容は、これまで著者がおこなってきた前世療法（ヒプノセラピー）から得られた知見を元にしています。

前世療法とは、クライアントを催眠状態にして時間をさかのぼり、前世を体験させるセラピーです。繊細な心理療法であって、正確な前世につなげることはもちろん、原因と結果の流れを深くつかみとるためには、経験と技術に加えて、多様な知識が必要となります。催眠状態に誘導するだけなら誰にでもできますが、「正確な前世」と「原因と結果のつながり」にまで入り込んで読み解くには、奥深い要素がからんできます。

巷には、前世療法と称していても、その内実は中途半端な催眠療法が蔓延しています。誤ってそういったものに触れ、間違った観念を植えつけられるケースも多くあります。本書によって、本物の前世療法から導き出された運命好転の法則を学び、ニセモノにだまされないだけの知識を身に着けていただくことも、今回の出版の意義の一つと考えています。

本書に登場する前世療法の例については、個人情報保護の問題を考慮して複数の症例のエピソードを合成、編集し、特定の個人とわからないように修正を加えています。また、章末のコラムでは、健康や歴史などに関する有益な情報を掲載しています。これは、運命を変えるための具体的な努力の方向性について理解を深めるためのものです。

一人でも多くの方が、本書によって人生の苦境から脱出し幸せになることを願っています。また、**すでに運が良くて幸せな人も、積善造命法を取り入れることで、いっそう運が良くなり、今まで以上に大きな幸せを成就できるようになります。**さらには子々孫々に至るまで幸せに家運隆昌していくことでしょう。

魂の黄金法則　～あなたの人生を好転させる積善の秘密～◎もくじ

第一章

前世療法からわかった因果応報のあらわれ方

☆魂の黄金法則①

人間の魂は、因果応報の法則があるから、進歩向上することができる。

1. 積不善の因果応報

A子さんのケース

当施設で前世療法を受けたとき、A子さんは三十三才。悩みは職場でのいじめでした。A子さんの職場は待遇がよく、福利厚生も手厚いところでしたが、内部の人間関係に大きな問題を抱えていたのです。

A子さんの所属する部署には三十六名が勤務していましたが、A子さんはそのなかでいじめの標的にされていました。明らかなハラスメント行為があれば法的な対処もできたでしょうが、相手はぎりぎりの言動でいやがらせをしていたのだそうです。まわりに味方になってくれる人はおらず、自分以外すべて敵であるかのように思える日々が、就職以来十数年、断続的に続いていました。

仕事内容はA子さんに合っており職場を辞めたくはなかったので、A子さんは、なんとかしてこの状況を打開したいと相談してきたのでした。

前世療法をおこなって、A子さんの現状がどのような前世と関連しているのかを調べるため、最初に、これまでの出来事を詳しく聞いていきました。

するとA子さんは、その職場に就職する以前から人間関係に恵まれていない人生を歩んできたことがわかりました。心から助け合える友人もなく、恋愛経験もありませんでした。親による虐待などはなかったものの、父親を早くに亡くし、母と二人暮らしだったのですが、母親との関係も良いとは言えませんでした。母親に心を許していろいろなことを話せる関係ではなかったのです。むしろ反対で、何か言えばすぐ否定され、本音で話すことができませんでした。

リクライニングシートに座り、目を閉じると、A子さんは著者の誘導の言葉にしたがって深い催眠状態に入っていきました。すると、A子さんの口からは、古い時代のキリスト教司祭の男性としての前世が語られはじめました。この司祭の男がどのような生き方をしたのかをたどるうちに、この男が、異教徒の人々を弾圧している場面が出てきたのです。司祭が生きた時代、その国ではキリスト教が国教であり、それ以外の宗教は異端とされていました。司祭はとらえた異端者たちを、次々と残酷な方法で拷問し、その結果、死に至らしめていたのです。この前世で彼が殺したのは三十五人の異教徒でした。

この後、死を迎えた司祭――A子さんの魂は、その後も何度も生まれ変わりますが、生まれ変わった人生で自分のおこないを何度もつぐなうことになりました。あるときは悪意ある人によって殺され、あるときは戦争に巻き込まれて死に、あるときは事故で大けがをして半身不随のまま苦しみ、やがて死んでいきました。

この事例から、他者の命を奪えば、その因果応報として次は自分が殺されることになるとわかります。人を殺すという原因をつくれば、今度は自分が殺されるという結果を招くのです。このような前世からの因果応報の作用のことを、「前世のカルマ」と表現することもあります。

カルマという用語にはいろいろな解釈がありますが、本書では、**前世を含む過去に自分がおこなった行為から生まれる、因果応報のエネルギーのことをカルマと呼びます。カルマは、人生の幸運や不運をつくり出す根源的な力です。**人生における運不運、つまり、運命上の追い風や向かい風をつくり出すもとになるものです。幸せにする力が「プラスのカルマ」であり、不幸にする力が「マイナスのカルマ」です。出来事として形にあらわれることで、カルマのエネルギーは消滅します。

話を前世療法に戻しましょう。前世療法では、前世を体験した後、魂のガイドと対面します。魂のガイドとは守護霊のことであり、守護霊とは、その人の魂の進歩向上をサポートしている高級霊です。前世療法では、数々の前世の中から今の問題の解決につながる前世を選び出して体験する必要がありますが、そのために守護霊が霊界側から働きかけをしてくれているのです。

このときA子さんの守護霊が教えてくれたことは、A子さんが生まれ変わりながら罪をつぐない続けた結果、つぐないが終わりに近づいたということ、そして、司祭であったときに積み上げてしまったマイナスのカルマを清算する最後の仕上げとして、今生（こんじょう）での人間関係の苦悩が用意されたのだということでした。

このとき、司祭であった時代に殺した三十五人の人々がすべて、今のA子さんの職場の同僚や上司に生まれ変わっているということに、A子さんは気がついたのです。

A子さんの魂は、これまでの生まれ変わりのなかで苦しみ、マイナスのカルマの清算を進めてきたので、今生ではもう殺されることはありませんが、残りのカルマの負債を清算するために、厳しい人間関係がもたらされていたのでした。

そこで、A子さんがどうすれば苦境から脱出することができるのかを守護霊に質問しました。すると、守護霊は「積善をすること」と教えてくれました。

人間の行為には積善と積不善があり、それぞれに因果応報が生じます。**愛をこめておこなうことは積善となり、プラスのカルマをつくりますが、反対に、冷酷な心でおこなうことは積不善となり、マイナスのカルマをつくるのです。**善因善果、悪因悪果の法則のとおり、善かれ悪しかれ自分の言動には必ず報いがあるのです。

A子さんの場合、これまでの生まれ変わりでの試練や、今生の前半生での苦悩を乗り越えてきたこともあって、マイナスのカルマの清算はかなりの部分まで終わっていました。前世から持ち越してきた負債の返済はかなり進んでいたのです。そこで、A子さんのこれからの人生を変えるために大切なのは、積善によって、プラスのカルマをつくり出していくことだったのです。

この「積善をすること」との教えは、A子さんが催眠状態の中で、自分で守護霊に問いかけ、答えを受けとったものであり、霊能者やサイキックのお告げではありません。このように前世療法においては、自分の内なる啓示を自分自身で受けとることができるのです。

A子さんは、これまでの人生の環境のこともあって、他者に関心が持てず、他者の幸せを祈ったり、願ったりしたことがほとんどありませんでした。日常生活において、他者への愛情や、愛にもとづく言葉、行動が足りないということを守護霊に指摘されたのです。

そのままにしていては生き方に愛が足りず、善徳を積むことができません。彼女が抱えていた問題もそれに根ざしていました。

そこで、A子さんに積善の果報について詳しく説明し、生き方をあらためるようにアドバイスしました。とはいえ、積善の大切さを聞いてもすぐに生き方が改革できるわけではありませんから、メールでカウンセリングを続け、認知の歪（ゆが）みを時間をかけて解いていくことにしました。

著者のアドバイスを受け取るうちに、A子さんは、自分以外の人に対して思いやりの気持ちを持つことや、どんな相手に対しても、その人が幸せになりますようにという思いを持つことの大切さを理解するようになっていきました。少しずつ、他者に親切にできるようになり、言葉と行動と、ものごとの受け止め方が愛と真心にもとづくものへと変容していったのです。

以前のA子さんは猜疑心が強く、「あの人はああすべきなのにしない」とか、「この人はこんなことをしているので許せない」とか、「わたしばかり損をしている」といったふうに、不平不満をいつも抱いていました。そのため、周囲に対する感謝の気持ちもほとんどない状態でした。

そこで、なぜ感謝が大切かということについても、メールのたびに繰り返し説いていきました。そうして、A子さんの意識が変わり、言動が変わっていくにつれて、職場の様子が少しずつ変化していきました。ひどい嫌がらせをする人は転属になり、親切な人が代わりにやってきて、しだいに職場の雰囲気が変わっていったのです。

A子さんはその後も、不平不満より感謝の気持ちで過ごし、自分以外の人の気持ちを善意で理解することに努め、親切をおこなって積善を実行する生き方を続けました。そうするうちに、友人にも恵まれるようになり、四十二才のときに素敵な男性と出会って結婚し、現在は平和で穏やかに暮らしています。最初の相談から、生き方を変えて十年ほどの時間が経っていました。A子さんは積善の実践によって人生の流れを大きく好転させることができたのです。

運命の路線をルート変更する方法

現在人間関係で苦しんでいる人は、A子さんの事例を読んで「自分も前世で何か他者を苦しめるような悪事をしたからこうなっているのだろうか」との思いを抱いたかもしれません。それは正しい推測です。因果応報とは、助けたら助けられる、いじめたらいじめられる、殺したら殺される、盗んだら盗まれる、だましたらだまされる、というように、正確にブーメランが返ってくる法則です。いじめなどで、たとえ肉体的に危害を加えなくても、精神的な苦しみを他者に与えた場合は、やがて、自分にも同じ苦しみがめぐってきます。

先に紹介したA子さんの場合もまたそうで、彼女は司祭だった時代に他者を殺した肉体の苦しみを、自身が前世で何度も殺されることでつぐなったわけですが、自分よりも弱い立場の人々をいじめて精神的に苦しませた罪を、今生の人間関係の苦しみとしてつぐなわなければならなかったのです。

司祭であった時代から、A子さんの魂には独善的な傾向があり、他者を見下してしまう癖がありました。何度も生まれ変わって罪をつぐなうプロセスを通して、魂の歪んだ部分も修正されていくのです。

A子さんが、愛が大切であると悟り、周囲の人々の幸せを心から祈れるようになるまでには、時間がかかりました。自分をいじめる相手に愛を向けることは難しいものです。状況に応じた考え方を根気よくカウンセリングすることで少しずつ実践できるようになって、ようやくA子さんは運命の流れを好転させることができたのです。

因果応報の法則がなぜ存在しているのか、それは、魂を進歩向上させるためです。宇宙創造主の求める究極の方向性は、真、善、美であり、愛と知恵と勇気です。わたしたちの魂は生まれ変わりながら、この方向に向かって向上を続けています。**この世に生まれてくるのは、けっしてつぐないのためだけではありません。進歩向上して幸せになるために、生まれ変わりを繰り返しているのです。**前世からのマイナスのカルマがたくさんある場合でも、魂の向上という人生の本義を悟って、生き方をあらためることができれば、幸せになる道が開けて運命の流れを好転させることができるのです。

前世で積不善となる行為――殺人、虐待など、肉体や精神を損なわせる悪行――を積み重ねてしまうと、生まれ変わった人生で自分がまったく同じ苦しみを味わうことになります。殺せば殺されるし、肉体や精神への虐待は、それと同じ種類の苦しみが降りかかるという結果をもたらすのです。

もし、今の人生であなたが誰かにいじめられたり虐待されたりした経験があるなら、あなたが前世で誰かをいじめたり殺したりした可能性があるということです。それは、戦乱の時代に生を受け、生き残るために、やむを得ない状況でおこなったものかもしれません。たとえそうであったとしても、動機がどんなものであれ人を殺すという積不善を重ねてしまえば、次の生まれ変わりでは自分が殺される形で生涯を終えることになるのです。多数の人々を殺せば、災害によって突然、命を落とす場合も含め、何度も殺される生まれ変わりを繰り返すことになります。そして、その最終的な仕上げが人間関係での苦しみを味わう人生です。

しかし、カルマを清算するために、合わせ鏡のようにまったく同じ苦しみを味わわなければならないということはありません。マイナスのカルマの清算は、総量としてのマイナスのカルマのエネルギーがあって、それを順番に、苦悩の出来事という形にして消化していく仕組みです。どういうあらわれ方をするのかは、人によって異なります。発現のしかたは、その人の魂を向上させる観点から、カルマをつかさどる神様が適宜、調整されています。

そして、積善によって生じるプラスのカルマは、善因善果の作用をもたらします。生きていくなかで積善のほうが増えていくならば、積善の果報を授かるようになります。積善の果報とは、人生を幸せなものにしていく作用です。

不運のなかにあっても、積善を積み重ねる生き方を貫けば、それによって人生の流れを変えることもできるということです。**運命とは、けっして確定したものではありません。時々刻々新たに積み重ねる積善や積不善によって、人生はより良くもなるし、より悪くもなるのです。**

因果応報の事例をはじめて聞いた人が心配することの一つに、自分の人生に起きるかもしれない不幸への恐怖があります。

「わたしはどんな悪事を前世でしたのかわからない。もしかしたら、その因果応報でわたしはもうすぐ不幸な死を遂げるのじゃないかしら。それはとても怖い」などと恐れおののく人もいるかもしれません。

これについてはご安心ください。**あなたが本書の内容を理解して、生き方を積善にシフトすれば、天佑神助が授かるようになり、突然の不運不幸からも守られて、大難が小難となり、切り抜けることができるようになります。**確かに、前世でおこなった積不善は、必ず返さなければならない負債のようなものですが、返済の総量はまったく同じでも、その負債を返していく方法は、ある程度、調整ができるのです。

たとえば、一千万円の借金がある場合を考えてみましょう。これを一括で返済する方法もあれば、少しずつ分割して返していく方法もあります。負債の返済をどんな形にするかを調整しているのはカルマをつかさどる神様ですが、この神様は、人間の魂の進歩向上のために動かれているのであり、決して無慈悲な法則ではありません。

すべての因果応報の作用は、わたしたちが神の愛を悟り、より賢く、より尊い存在に成長するための試練ですから、今を生きているわたしたちがどんな心がけをもって生きていくかによってカルマの返済方法は変わるのです。**積善の心がけをもって生きる人になれば、多額の負債を一括で返済するような突然の不幸や死といったものではなく、耐えて乗り越えていける程度の分割返済に、神様がルート変更をしてくださるのです。**

分割返済へのルート変更がなされれば、そのあいだに積善の生き方を積み重ねて、プラスのカルマを新たに増やしていくことができます。プラスのカルマは人生の追い風となり、幸運となって戻ってきますから、ますます大難が小難となり、小難が無難になっていきます。

こういった神様による救済のことを、天佑神助といいます。

天佑神助を授かるためにはさまざまな方法があります。本書は、その方法を会得し、実践するための指南書でもあるのです。

前世からの因果応報についてはじめて知った人のよくある反応には、ほかにも以下のようなものがあります。

「あの人はあんなに善人なのに、不幸な目にあっている。あの人が前世でそんな悪い事をしていたなんて、とても信じられない」

「虐待されたあのかわいい子供が、前世の因果応報でそうなったというのは受け入れられない」

こうした考え方です。さらに、「いじめられたり虐待されても、本人の自業自得だから助けないで放っておけというのですか」と言う人さえいます。

そのように反応する人の気持ちも理解できますが、この世で降りかかる不運や苦難、幸運や慶事は、例外なく、その人の過去からの因果応報の結果です。今の自分がつくる原因が未来の結果をもたらすのと同様、過去の自分がつくった原因が今の自分を生み出したのです。**どの国の国民に生まれるか、どんな親の子に生まれるか、どんな体質や容姿に生まれるか、どんな遺伝子を持つ肉体に宿るか、すべては前世からの結果です。**どんなに今の姿から見て信じられなくても、そうなのです。だからといって、苦しんでいる人を見捨てるのが良いということにはなりません。因果応報の法則を知ったからこそ、あなたにできることからで良いので、人を助けましょう。ただし、もし、あなたが誰かを助けようとしたとき、手を差しのべた相手が助かる場合と、助からない場合があるはずです。

助かった人は、なぜ助かったのでしょうか。あなたが助けようと努力したにもかかわらず助からなかった人は、なぜ助からなかったのでしょうか。その運命を分けているのは、前世からの因果応報、カルマの作用にほかなりません。前世からの負債があまりにも大きい場合には、他者から救いの手が差しのべられても救いきれず、命を落とす場合もあります。このような場合は、それが天寿だったということです。

ゆえに、助かった、助からなかった、という結果ではなく、助けるためにあなたが努力したということが大切です。それが積善であり、愛の心が行動にあらわれたものなのです。自分にできる範囲のことから人を助け、積善をしましょう。**積善はあなたの運命を良きルートに路線変更するための第一歩なのです。**

苦難や災厄を前世の因果応報であると悟ることは大切なことですが、それによって改善や解決をあきらめてしまうことは間違っています。前世から持ち越したカルマに加えて、わたしたちは時々刻々に新しいカルマをつくり出しています。新たにつくった原因が、過去からめぐってくる結果のあらわれ方に複雑に影響を与えているのです。

つまり、**運命をより良く変えていくこともできれば、より悪く変えていくこともできる**ということです。

そして、因果応報は、悪人にも善人にも平等に作用します。それほど善人でない人でも、たまたまそこに居合わせたという理由で人の危急を救うことはありえます。助けず見捨てる選択肢もあったはずですが、そのときは慈悲心を起こして、危急にある人を助けたということです。こうした形で、前世で積善をしていれば、今生、さほどの善人ではなくても、幸せな人生を歩むということはありえることなのです。

反対に、生きていた時代によっては、善良な人であってもやむを得ず戦い、敵を倒すこともあります。本人が意図しない形でマイナスのカルマをつくってしまうこともあるのです。とくに、前世が人の上に立つような立場であった場合、たとえば政治家や、領主などといった前世の場合、心がけしだいで積善をたくさんおこなうこともできますが、同時に積不善も重ねていることがあります。

政治の世界を考えてみるとわかるように、ある政策に関して、国民全員が賛成するということはありえません。たとえば国民の半分の意見に従って政策を決定するということは、残り半分の意見は聞かない、ということになります。全員を不満なく幸せにするのは非常に難しいことです。戦乱の時代であれば、国を守るために他国と防衛戦争をしなくてはならないこともあるでしょう。こうして、悪意はなくても、やむを得ず誰かを苦しめてしまうことがあります。

そうしてできたカルマも、生まれ変わって清算しなければなりません。これが、どんなに今生が善人であっても不運な人がいる理由です。

自殺したらどうなるか

このほか、「前世などを認めたら、かんたんに自殺を選ぶようになるから危険だ」という人もいます。霊界について良く知らない人がこのような発想をするようです。しかしながら、自殺も他殺も、霊界から見ると同じく大罪です。**自殺は、この世の人生に絶望し、暗くて重たい気持ちでおこなわれることが常ですから、死後は暗くて重たい霊界に行ってしまいます。**また、自殺するときは、自他の幸せを願う愛の心がなく、冷たい心になっています。それゆえに、暗くて重たくて冷たい霊界で罪をつぐなうことになります。自殺ではけっして幸せな世界には行けないのです。

わたしたちは、魂を磨いて霊的進化を遂げるために、神様と約束をしてこの世に誕生してきています。それなのに、その努力を途中で投げ出してしまうことは、究極の怠りとなります。そして、怠りの心に支配された人が死後に行くことになるのは、怠りを罰するための苦しい霊界、すなわち地獄界なのです。

また、自殺した後、霊界にも行くことができず、この世の人間にとりついたり、特定の場所に縛りつけられたようになったまま苦しみ続けるケースもあります。いわゆる浮遊霊、地縛霊と呼ばれる状態です。この世でやり残したこと、叶わなかったことへの執着があまりにも強いと、このような形で正常な生まれ変わりができないまま停滞してしまうこともあるのです。

この霊界の実相を知れば、**自殺は絶対にしてはならない行為であり、魂にとっての禁忌**なのだと理解できるはずです。**自殺では苦しみから逃れることはできない**のです。

ただし、誰かを救うために命を賭して行動し、その結果命を落とす、という場合は、このかぎりではありません。これは愛の心からの行動ですから、明るく温かい霊界に行きます。行動の動機となる心がすべてを左右します。明るく温かい愛の心から発したのか、暗くて冷たいエゴイズムから発したのかで結果が違ってくるのです。

身内に自殺者がいる人は、第四章で解説している推奨神社活用法を学んで、ご神霊による救済を祈ることをおすすめします。

わたしたちが真心をこめて神様に祈ることによって、霊界で苦しんでいる縁者に救いをもたらすことができるのです。

霊界については第二章でさらに詳しく述べます。

それでは、人生において、自殺したいほどに辛くて苦しい状況に直面したら、どう克服したら良いのでしょうか。

そんなときは、まず、守護霊に救いを求めて祈ることが大切です。この時代に生きているすべての人類は、必ず守護霊によって守られています。守護霊は、天国界に永住している高級霊です。そして、あなたとは血脈でつながった祖先なのです。子孫であるあなたの魂の向上を守り導く存在であり、あなたの味方です。あなたが死ぬほどつらい状況に陥ったとき、自殺を選ぶのではなく、活路を見出すために、あなたの守護霊に救いを求めて何時間でも、ねばり強く、祈り続けることが大切なのです。守護霊に加えて第四章で解説している神様への祈りも実行すれば、さらに効果的です。

神仏の加護と応援を最大限に得るための方法を学ぶことで、誰もが人生の苦境を乗り越えることができるようになります。お祈りなんてしたことがないという人も、本書を読み進むうちにしだいにできるようになります。

祈りによって他力の応援を得る体験をすると、人は孤独から救われます。また、祈りという行為を生きているうちに体得しておけば、死後、あの世に行ってからも自分で自分を救うことができるのです。あの世でも、行き詰まったり、迷ったり、苦しんだときには、救いを求めて神仏に祈り続けることがたいへん重要です。あなたが地獄に落ちようとも、祈りさえあれば神仏の救いを必ず授かることができるからです。もちろん、祈るだけで地獄から天国にいきなり上がれるようなことはありません。しかし、祈っていると神仏や守護霊がその祈りに応えて霊界でも来てくれるのです。そして、どこをどう改めれば、もっと上の霊界にあがれるのかを手取り足取り教え導いて、霊界での修業を促進してくださるのです。その結果、少しずつではあってもしだいに上の霊層に向かって向上していく道が開けてくるのです。

心から祈るという行為が生活のなかに存在しない人は、いまだ、魂の本質に目覚めていないといえます。死後、正常に霊界に行くことができず、浮遊霊になったり、地縛霊になったりしてこの世にしがみつくのも、その霊が祈るということを知らないからなのです。

「カルマ消滅の術」はありえない

マイナスのカルマは、プラスのカルマで打ち消したり相殺したりできるのでしょうか。これは厳密にいうとできません。因果応報の法則が生み出すカルマの働きは、消滅させることができないのです。

しかし、プラス・マイナスそれぞれが人生に追い風と向かい風を吹かせる結果、現象として出てくるときのあらわれ方が変容するのです。マイナスのカルマが多い人でも、プラスのカルマの要素を追加していけば、総合的なバランスにおいて、プラスが勝るようになります。すると、目の前に起こる現象としては、あたかも大難が小難になり、小難が無難になるように人生が好転していくのです。

あやしげなスピリチュアルの言説で「カルマ消滅の術」などがあるように言われたりしますが、カルマは消滅させることは絶対にできません。ただ、愛に目覚め、積善の生き方にシフトすれば、新たなプラスのカルマを生み出して流れを変えていけるというだけのことなのです。**カルマの負債は、いかなる力によっても瞬時に消えることはありません。カルマの負債は、本人による何らかのつぐないによってのみ消えるのです。**

カルマのエネルギーが、この世での現象化を経ることなく消滅することはありません。ただし、先に述べたように、負債の返済の仕方が一括返済から分割返済になることはありえます。カルマのあらわれ方がより軽いものに変わる形で救済されることはあるのです。これが、大難が小難になって救われるという意味です。

こうした救済の天佑神助を授かるためには、因果応報の法則を悟り、積善を重ねる生き方にシフトすることが必須条件となります。

因果応報の法則によって人類は進化している

世の中を見渡せば、世界中で差別や殺人や戦争があって、神も仏もあるものか、という気持ちになる人も多いかもしれません。しかしながら、因果応報の法則が働いているので、おこなった犯罪や悪事の報いは、未来において、必ず受け取ることになります。それが今生のうちに起こるか来世で起こるかは、それぞれの事象の因果の清算をするための機が熟すまでの期間に差がありますから、一定ではありません。早いか遅いかの差はあっても、因果応報の裁きを必ず受けることだけは間違いのないことです。

人間は、因果応報の法則に裁かれることで、魂の次元でさまざまなことを悟って進歩向上するのです。殺人が悪であること、盗みが悪であること、冷酷が悪であること、虚偽が悪であることなどは、生まれ変わりの回数を重ねていくことで、誰もが罪を犯してその因果応報による苦悩を経験するなかで、魂が体得していくようになっています。

魂の次元で、愛に基づく生き方だけが恒久的な幸せを創造する道なのだと悟っていくために、因果応報の法則が存在しているのです。

「前世の記憶がないのに、なぜ前世のつぐないをしなければならないのか」と、疑問を持つ人もいますが、わたしたちの表層意識では納得できなくても、奥にある魂の意識ではすべてを認識しており、因果応報の作用を受けとりながら、少しずつ進歩向上しているのです。

今の世の中に理不尽なことが多いと感じるのは、それだけ未熟な魂がまだまだたくさん存在しているということです。わたしたちひとりひとりの魂が生まれ変わりを繰り返しながら進歩向上していくことで、人類全体が魂として進化していくのです。この世の人間社会の様相は理想的な状態に向けて進歩発展していく途上にあるということです。

いずれは、調和、平和、秩序などが地球上の隅々にまで行き渡った世界になり、高いモラルを持った人々が暮らす社会となるのです。

魂の進化がかなり進んでいる段階の人は、人を殺そうとか、陥れようとかいった、悪事をする発想からはすでに卒業しています。そして、むしろ、どうしたら世の中が良くなるかということに関心があるはずです。反対に、いまだに他者を苦しめたり、困らせたりすることが平然とできるような人物の魂は、生まれ変わりの回数も少なく、悟りの度合いも未熟な魂であるということです。

この世は、発達した高度な魂も、未熟でエゴイズムの塊のような魂も、玉石混交して、ともに切磋琢磨するための学びの場なのです。

2．積善の因果応報

B子さんのケース

　B子さんは、ある大学の教授として多忙な日々を送っていました。大学教授としての地位と名声があり、講演や執筆など多彩な活動をこなしていました。人柄もすばらしく、多くの友人に恵まれています。そんなB子さんは、自分はどんな前世だったのか、なぜ今の仕事をしているのかが知りたいとのことで、前世療法を希望されました。

　前世に誘導すると、イタリアの貴族の家に生まれた男性の前世が出てきました。この貴族の男性はとても豊かな家の子として生まれ、その時代は戦争もなく穏やかな一生でした。また、美術が好きで、美術品を山のように集めて家中に飾りましたが、それが結果的にその町に住む芸術家たちの暮らしを支え、町全体の人の豊かさのために役立っていました。それだけでなく、町の有力者として町の長やほかの有力者と話し合い、町を発展させるために多額の資金を出資しました。この行為もまた、多くの人々の幸せにつながりました。妻子に恵まれ、当時ではかなり長寿といえる八十才ごろまで生きて、幸せな人生をまっとうしました。

B子さんは、この貴族の前世のときに、物質的にも精神的にも非常に多くの人を救い、幸せにした多大な積善の果報によって、今生でも何をやっても成功成就し、成果に恵まれる人生となっているのでした。前世でともに町のために尽くした友人たちとは、今生でも仕事仲間としてめぐりあい、助け合う関係となっていることもわかりました。

続けて、B子さんの他の前世も探求してみました。

すると、江戸時代初期の日本の宿場町に働く女性が出てきました。参勤交代のお殿様が立ち寄るような旅籠(はたご)です。彼女はその旅籠を営む主の娘でした。毎日朝早くから夜遅くまで働いて、両親や兄弟姉妹を支えていました。そして、参勤交代でやってきたお殿様に見初められ、側室として迎えられました。彼女は、お城での暮らしでも周囲の人々への慈愛を忘れず、誠実に生き、男児にも恵まれ、さらにその子が家を継ぐことになりました。八十才を過ぎるまで長寿し、恵まれた幸せな人生だったようです。

B子さんの前世はこの他にも探求しましたが、どの人生においても、自分よりも周囲の人の幸せのために誠実に尽力する生き方を貫いている生涯ばかりでした。こうした積善の生き方によりたくさんの善徳を積んでいたからこそ、何度生まれ変わっても、幸せで充実した人生が続いていたのです。しかし、B子さんの魂はそこで慢心せず、どんな立場にいても、周囲の人々の幸せのために力を尽くす生き方を続けていました。

このような人の場合、幸せな人生のなかでもさらに積善を重ねていきますから、運命は倍々ゲームのようにどんどんすばらしくなっていきます。因果応報の法則の正しい活用法といえるでしょう。

人の上に立つとき、心がけるべきこと

今の自分の生き方がどんな生き方になっているか、一度ふりかえってみてください。他者の幸せのために、愛と真心を尽くす生き方ができているでしょうか。それとも、エゴイズムや独善に支配されて、欲望や感情のままに、周囲に迷惑をかけてしまうような生き方でしょうか。

わたしたちが今をどう生きるかで、未来は変わります。善因善果、悪因悪果の作用は確かに存在しています。それはこの世の生涯のなかでも運命を変える力となってあらわれてくるものですが、今生の短い時間ではすべての因果応報の報いが戻ってくることは少ないといえます。因果応報は、生まれ変わりを通じて主に来世の運命を左右します。この世でおこなう積善の三割から四割ぐらいは今生で報いを得られますが、残りは来世以降に結実するのです。

同じように、この世でおこなう積不善の三割から四割ぐらいは今生で報いがあり、残りはマ

イナスのカルマとして持ち越されて来世以降に結実します。いずれにしても、今の自分の生き方の因果応報を必ず受け取るようになっています。

一般的に、ある程度成功し豊かに暮らしている人の場合、前世でもそれなりの身分の人であったことが多いようです。たとえば、王様、貴族、地方領主、商人、日本なら大名、城主、旗本、庄屋などです。彼らは、こうした立場にあったときも、自分の幸せだけを考えて生きるのではなく、周囲の人々、領民、国民、目下の人々の幸せのために尽力する生き方を貫いていたのです。その結果として、プラスのカルマがたくさんあって、積善の貯蓄（これを徳分とも呼びます）があるから、今生も幸運に恵まれているというわけです。

ある企業の創業者の社長さんの前世療法をしたことがあります。この社長さんの前世は、江戸時代、ある藩を治める大名でした。領民の幸せを第一に考えた政治をおこない、多くの人々を幸せにした積善の果報で、今生でも仕事で成功し、高い地位についていたのでした。大名であったときに助けたり面倒を見てあげた人々が今生にも生まれ変わってきていて、それらの人々の支援や協力を得て、大成功する人生になっていました。

しかし、こうしたケースと対照的に、前世で地位や権力があったにもかかわらず、弱者の幸せのためにその力を使うことをせず、自分の欲望のままに人生を送った人もいます。また、先述したように、地位が高くとも、戦乱の時代などで積不善を重ねることになってしまい、結果的に積善を十分にはおこなえなかった場合もあるでしょう。このような前世を持つ人は、例外なく、苦難の多い運命を背負ってしまいます。

地位や権力を与えられたときこそ、神様からの預かり物だと思って、傲慢になることなく、自分の周囲の人々の幸せのために、一般の人よりももっと尽力しなければならないのです。

そうでなければ、前世での積善の果報である徳分を消費するばかりで、新たな積善が貯蓄できませんから、徳分、つまりプラスのカルマがほとんどない状態で次の生まれ変わりを迎えることになります。そして、自分本位に積不善ばかり重ねていれば、負債ばかりあって、貯金がほとんどないような状態になります。そうなると、次の生まれ変わりでは、混乱した国や貧しい環境に生まれたり、苦しみが山積している環境に生まれることになって、どん底からやり直すことになってしまうでしょう。

生まれ変わるごとに、こうして上がったり下がったりを繰り返すのは、魂が未熟で悟りが足りないためです。失敗を繰り返すうちに魂がしだいに成熟し、真善美や、愛と真心に目覚めていくようになります。そうして時間をかけて、積善の道に向かっていくのです。ですから、**積善の道に心が定まったということは、魂が大きく進化したということです**。そうなれば、魂の方向性は大きく揺れ動くことがなくなりますし、どんどん幸せになる流れに入ることができるのです。

これに対して、たまたま気まぐれに善行をしたおかげで地位や権力を手にした場合は、そのほとんどが未熟な魂ですから、得た立場や環境を活かすことができず、傲慢になり、かえって転落するきっかけになり得ます。

積善の生き方を心得て、その在り方が揺るがない魂に成長できたなら、人は誰でも幸せになることができます。この世だけではなく死後の世界でも、来世でも、幸せのサイクルが延々と続くからです。

正当防衛は善か悪か

では、多くの人が抱く疑問の一つである「正当防衛の戦い」は、積善か、積不善かという問題について考えてみましょう。自分自身や自分の大切な家族が心身に危害を加えられようとしたとき、その身を守るために、攻撃してくる敵と戦わねばならない場合です。

たとえば、家に強盗が入ってきて家族が殺されそうになったので、家族を守るために強盗と格闘をした結果、強盗を殺してしまう、あるいは重傷をおわせてしまうということはありえることです。あるいは、学校でいじめに巻き込まれて悪童から暴行され、身を守るために格闘して撃退することもあるでしょう。

こうした場合、自分や家族の身の安全を守るという意志は、愛の心から発したもので、エゴイズムなどの邪心から発するものではありません。行動の動機となる心がもっとも重要なことですから、愛によって守ろうとするなら、そのことは積善となります。自分の心身の安全を守ることは、自分の内にある魂の尊厳を守ることにつながりますから、これも積善ですし、自分以外の誰かの心身の安全を守るために行動することは、人の危急を救うことですから、さらに大いなる積善となります。

しかし、自衛のための行動の過程で、相手の命を奪ったり負傷させることは、やむを得ないことであっても積不善となってしまいます。そうした積不善についても、未来において何らかの因果応報があるでしょう。それは避けられませんが、悪意からしたことではなく、愛や善の心からおこなっていることですから、戻ってくる災いは、悪意からおこなった殺人や暴行の場合よりもはるかに小さなものとなるでしょう。

つまり、そのとき生じた積不善よりも、他者の危急を救ったという積善のほうが圧倒的に大きいので、善因善果の作用のほうがより顕著にあらわれてくるのです。相手が悪事を成そうとするのを阻止したという積善もそのなかに含まれています。もし、あなたが身を守るために戦わなかったとしたら、相手は悪事を成就し、もっと大きな積不善を重ねることになったでしょう。相手の悪をくじくことも積善です。

ですから、もし、このような場面に遭遇した場合は、**小さな積不善を怖れて、自衛のための戦いから逃避するようであってはいけません**。そもそも、こうした修羅場に遭遇するということも、自分自身に原因があります。前世からの何らかの因果応報によって、修羅場という試練に直面したということです。その試練を乗り越えることそのものが、魂を磨く修業です。

わずかな積不善を怖れて戦いから逃げることは小善であって、本当の積善ではありません。自分あるいは他者の危急を救うために戦うということは、わずかな積不善をしてしまっても、それ以上の圧倒的に大きな積善をおこなうことになるのです。

このことは、個人の単位ではなく、国家の単位で考えても同じことがいえます。自国が理不尽な侵略行為にあって国土や国民に危害が加えられたとき、自衛のために武力行使をするのは政府の当然の務めです。日本は、戦後米国に強要された憲法九条によって、自衛のためのあらゆる戦いを放棄させられてきました。それが拉致被害者を生み出し、国民や自国の領土を隣国によって脅かされる事態を招いています。戦いから逃避することを強要されている状態といえるかもしれません。この小善のままでいてはいけないのです。

仁徳の人も因果の報いは受ける

「非常に立派な人格を持ち多くの積善をしている人であっても、突然の不幸に見舞われることがあるのはなぜなのでしょうか」これは、著者が質問されることの多い問いです。

善人なのに不運というケースでもっとも多いのは、「改心の魂」です。「改心の魂」とは、前世での積不善の結果、死んでから地獄界に落ちて、苦しむことで深く反省し、悟りを得たのち、リベンジのために生まれ変わってくる魂のことです。このような魂は、生まれてきてやり直せることを喜んでおり、苦難のなかでも明るく前向きであることが多いです。

「改心の魂」を持つ人の多くは努力家です。そして、試練や苦難の多い人生に、明るく前向きに立ち向かう生き方をしていることが多いです。

このほか、「英霊の魂」も善人でありながら悲劇的な最期を迎えることがあります。「英霊の魂」とは、天国界に永住権を持つまでに進化できた魂であるのに、そこからさらに進歩向上することを望み、神様から使命を与えられてこの世に生まれてくる魂のことです。これらの魂は、積善の貯蓄を十分に持っていて、生まれてくると社会的に成功し、重要な地位に就くことになります。国家の指導者となったり、人類の文明文化を進歩させるような科学者になったりすることもあります。

このような優れた霊（英霊）は、徳分（積善の貯蓄）が十分にあるだけではなく、非常に進化した魂であり、多芸多才で万能なので、何度も生まれ変わって人々を教え導いていく、指導的な立場で活躍することが多いのです。そして、その時代その時代の世界情勢や国家の激動、変遷のなかに身を置いて、難しいかじ取りを担当するのです。こうした役目を果たす場合、やむを得ず政治的闘争をしたり、戦争をしたりすることもあります。結果的に、使命を果たして生涯を終えるまでに、やむを得ない形でカルマの負債をつくってしまうことになります。その場合、たくさんの人に影響が及ぶので、負債の総量も大きくなるのです。

そうした使命を帯びた魂の死後であっても、特別扱いはありません。英霊であっても、地獄界で浄化のために一定の期間を過ごし、その後、上の霊界へと上がってくることになります。そして、次に生まれ変わるときには、前世の負債を清算します。英霊の場合は、負債を早く清算しようとして、悲劇的な死に至る運命を計画して生まれてくることすらあります。

非常に立派な、偉人ともいえる人物がなぜか暗殺されたり、謀殺など悲劇的な死を遂げるケースがあるのは、こうした背景があるからです。非暴力主義のインドの偉人ガンジーが暗殺されたり、近年では、半生をかけてアフガニスタンのために尽力した日本人医師が暗殺された事件などもありました。このような悲劇的な死によって、前世の負債をきれいに清算することで、次に生まれ変わったときには良いスタート地点から出発することができます。そうすれば、来世では、いっそう世の中を良くする働きを担うことができるのです。人徳のある立派な人物がどうして無残な末路を迎えなければならないのか、と理不尽に思う人も多いでしょうが、すべては因果応報の法則のあらわれであり、例外はありません。

ただし、暗殺や謀殺など悲劇の末路となるのは特殊なケースです。通常、このような英霊の生まれ変わりの人物は、どこか超然としていて、わたしたちとは格が違います。著者も含め、あなたが暗殺や謀殺の犠牲になるようなことはまずないのでご安心ください。普通はこのような運命はまず起こらないでしょう。

積善によって人生の流れを変える

積善によって運命を好転させた事例を、もう一つご紹介します。

S子さんは、短大を卒業後に、保育士となり、保育所で働きはじめました。ところが、幼い子供に愛情を向けていくことに、なぜかストレスを感じるようになっていきました。

仕事の仕方や幼児とのかかわり方について、職場の先輩にいろいろ指導されることが増え、同僚との関係にもストレスを感じるようになって、仕事に行けなくなってしまったのです。心療内科での診断は「適応障害」でした。S子さんは休職しましたが、症状が改善することはなく、やがて職場を退職してしまいました。

その後も家に引きこもる生活が続き、死にたいと思うことが増えて、別の精神科で「うつ病」と診断され、障害年金を受け取るようになりました。S子さんはこのままではいけないと感じ、前世療法を受けにやってきたのでした。

前世に誘導すると、最初に出てきたのは、中世の貧しいヨーロッパの国に生きた少女でした。戦争と貧困のなかで生きる希望を失い、自殺という形で若くして生涯を終えていました。この前世が体験されたということは、現在のS子さんの人生にこの前世の影響が強く出ていることを示しています。

因果応報の法則と積善の大切さについて説明するとともに、S子さん自身の持つ認知の歪みをあらためるために、メールカウンセリングを勧めました。S子さんは「みんなで開運しよう！魂向上実践塾」の塾生となりました。

魂向上実践塾は、メールカウンセリングを通じて認知の歪みを解消しながら、積善によって人生を好転させていくことを皆で学んでいく場です。閉鎖型のSNSに参加してもらい、そのメール機能を使って、メール相談を繰り返し受けていただくものです。

S子さんには「悲観的予言」という認知の歪みが強く出ていました。

「悲観的予言」というのは、物事の先を悪いほうへ悪いほうへと予測する思考の悪癖です。「どうせ失敗する」「うまくいかないに決まっている」「皆に嫌われているから受け入れてもらえない」というように、行動する前から悪い結果を決めつけ、行動しない言いわけにする癖です。

このような思考の傾向が生まれたのは、前世療法で出てきた不遇な前世での体験の影響もあるでしょう。しかし、すべての幸不幸は因果応報の結果なのですから、不運な境遇の前世の前には、その原因をつくり出した前世が必ずあります。S子さんの場合もそうで、貧しい少女に生まれたそもそもの因果は、アジアの国で生きた男性の前世でした。部族間の争いに巻き込まれ、敵対する人々を殺していたのです。このときの積不善のために、生まれ変わって不運な境遇の生涯となったのですが、彼女は苦しみに負けて自殺してしまったので、さらにマイナスのカルマを増やしてしまったのでした。

積善をおこなうと善徳が積まれて徳分となり、それがプラスのカルマとなって幸せを引き寄せること、積不善をおこなうとマイナスのカルマとなり、不運や不幸の原因になること……。メールカウンセリングを通じて因果応報の法則を繰り返し説くうちに、S子さんの人生についての受け止め方は少しずつ変容し、「悲観的予言」も減っていきました。

そして彼女は時間をかけて、自分が幸せになるためには、愛の念と真心を尽くし、他者に対して善行を積むことが大切であると理解しはじめたのです。

さて、S子さんは病気のため、障害年金を受け取っていました。障害年金や生活保護などは社会のセーフティネットですから、その助けを受けることは当然かつ適切なことです。しかし、見えない大きな問題もそこには存在しています。何の労苦もなく手に入るお金というのは、どんなものでも、前世の徳分の貯金を切り崩しているということです。これは、福祉で受け取るお金にかぎらず、宝くじや仮想通貨、FXや株、親から受け継ぐ遺産も同じです。ですから、若いうちから障害年金や生活保護に頼り続けるのは、徳分の消耗というリスクがともなうのです。徳分があまりにも減少しすぎると運は極度に下降し、死を迎えることすらありますから、慎重にならなければなりません。

S子さんが永続的に幸せになっていくためにも、福祉のお世話になることから脱却して、社会復帰することが大切でした。しかし、すぐには難しいことでしたから、身近なところから積善をするようアドバイスしました。

S子さんは、家事を手伝うことからはじめました。掃除、洗濯、炊事、後片付けなどを毎日おこなうようになりました。これらはすべて積善です。また、引きこもっていた状態から、散歩にも出るように努力し、散歩するときには必ずゴミ拾いをしました。

そして、もう一つS子さんにはやるべきことがありました。母親との関係の改善です。

S子さんは、両親が共働きで多忙であったこともあり、幼少時に母親からの愛情を十分に受け取れていませんでした。S子さんの母親は、共感的、受容的な関わり方が下手だったため、S子さんは母親とは本音で話し合うということができませんでした。日頃から口論になることも多く、完全な和解はできていませんでした。つまり、S子さんは愛着障害の状態にありました。

愛着障害とは、幼児期に十分な愛情や保護を親から受け取れないときに生じるもので、強い自己否定や「見捨てられ不安」を伴います。その結果、対人関係を良好に保つことが難しくなります。実はS子さんの母親もまた、愛着障害を抱えたままの状態にあり、自覚しないまま、S子さんは、その連鎖を受けて愛着障害になっていたのです。

S子さんには、母親の課題と自分の課題を分けて考えることをアドバイスしました。自分を軸として生きることを心がけ、他人の思考や思惑に左右されないようにする練習を重ねていったのです。課題の分離ができるようになり、S子さんの態度が変わることで、しだいに母親との関係も良好なものになっていきました。

メールカウンセリングを続けて二年が経過したとき、S子さんは、精神科の薬を完全にやめることができました。そして、障害年金を打ち切り、再び保育士として再就職することに成功したのです。保育士として子供たちの前に立ったS子さんは、以前とは違い、穏やかな気持ちで子供たちに対応することができ、優しく、ていねいに接することができるようになっていました。愛着障害について理解を深めることで、S子さんは、子供たちを愛着障害にしない関わり方を意識するようになり、子供たちに対して、共感的、受容的に接することで、愛情を伝える努力ができるようになっていたのです。また、母親との関係を改善するための過程で、自分を軸とする生き方が身に着いていましたから、先輩や同僚との人間関係もうまくこなすことができるようになっていました。

彼女は、行き詰まるたびにメールカウンセリングを活用し、そのつど認知の歪みを解消していきました。幸せを引き寄せていくことができる、物事の受けとめ方や思考習慣を確立していったのです。

こうして、S子さんの人生観、価値観は、積善を重ねる生き方となっていきました。また、認知の歪みを解消したことで、外界の事物や他者の思惑に振り回されることが減り、自分の中に心の安全基地を持つようになりました。

どんな仕事でも、受け取る報酬以上に愛と真心をこめて他者のために尽くすことができます。お金として報われない部分はすべて積善となります。愛と真心をこめて保育士として仕事をすることで、S子さんは積善を重ね、どんどん運が良くなっていきました。

いつも明るく前向きに生きるようになったS子さんは、周囲にも魅力的な人と思われるようになりました。そして、塾生になって五年目に、友人の紹介で誠実な男性と交際することになり、結婚して、現在は子宝にも恵まれ、幸せに日々をおくっています。

もちろん、今でもS子さんは積善の心がけを忘れることなく、日々の暮らしのなかで、積善の実践を重ねています。

因果応報の法則を悟り、積善に努める揺るぎない生き方がぶれないようになると、その境地は「普遍的信仰心」となります。前世のマイナスのカルマが残っているかぎり、人生には苦難が起きてきますが、「普遍的信仰心」が確立された人は、その苦難を乗り越えて、幸せを創造することができるようになるのです。

コラム1

プロゲステロンの話

プロゲステロンというホルモンが、わたしたちの健康維持に重要な働きをしていることを詳細に解き明かしたのは、ジョン・R・リー博士（一九三三－二〇〇三）です。『医者も知らないホルモンバランス』（中央アート出版）などの一般向けの著作があります。

リー博士によると、プロゲステロンは男女どちらにも重要なホルモンであり、その働きは、血栓予防、あらゆる癌の予防、膠原病予防、感染予防、骨粗しょう症予防、うつ病予防、子宮の疾患の予防（子宮筋腫、子宮内膜症、卵巣嚢腫、ＰＭＳ、生理痛など）、認知症予防など、多岐にわたります。男性の前立腺癌予防の働きもあり、男女ともアンチエイジングに有益なホルモンです。

リー博士は、**婦人科疾患の多くがプロゲステロンの欠乏に原因がある**ことを明らかにしました。

プロゲステロンとエストロゲンは、通常、女性の体内で二〇〇：一のバランスで安定しています。ところが、現代の先進国においては、食品添加物や環境ホルモン、ストレスなどの影響で、多くの人が慢性的なプロゲステロン欠乏を起こしています。その結果、体内での比率が狂い、相対的なエストロゲンの過剰状態となります。つまり、エストロゲンは数値としては増えていませんが、プロゲステロンが減少した結果、バランスの上で、エストロゲンが過剰であるかのような状態になるのです。プロゲステロンとエストロゲンの比率が、二〇〇：一だったのが、一〇〇：一になったり、五〇：一になったりするということです。このエストロゲン優勢の状態こそが、ＰＭＳ（月経前緊張症候群）や更年期障害の大きな原因なのです。

これまでは、女性ホルモン（エストロゲン）の欠乏が更年期障害の原因とされていましたから、エストロゲン補充療法が主体でした。しかし、**エストロゲン補充は、エストロゲン優勢の状態をさらに悪化させ、結果として、乳癌、子宮癌、脳や心臓の血栓症を起こすという大きな問題が起きてしまいます。**

また、ピルも含め、保険診療で使われるホルモン薬は、人工的に合成された薬物であり、体内で分泌される天然ホルモンとは化学式が異なる物質です。そのため、発癌性があるのです。ほんとうに必要なのはエストロゲンではなく、不足しているプロゲステロンです。もちろん、体内で分泌されるのと同じ化学式の天然プロゲステロンが必要になります。

天然プロゲステロンは癌を予防しますが、合成プロゲステロン（プロゲスチン）には発癌性があります。天然プロゲステロンは、欧米ではドラッグストアなどで、安価な美容クリームとして、医師の処方なしに誰でも入手できます。リー博士は、天然プロゲステロンクリームを塗って、自然なプロゲステロンを補う治療法を普及させました。

天然プロゲステロンクリームをとくにおすすめするのは、PMS、生理痛、生理不順、子宮内膜症、子宮筋腫、卵巣嚢腫、更年期障害、乳腺症、乳癌を患っている女性です。これらの症状や疾患の改善に、天然プロゲステロンが役立ちます。

ピルなどの合成ホルモン剤による治療は、乳癌、子宮癌、血栓などのリスクが高く、危険です。安全な天然プロゲステロンを使うべきです。睡眠を深くして熟睡できるようにする働きもあるので、寝る前に肌に塗ると効果的です。

更年期障害はプロゲステロンの欠乏が原因であるため、エストロゲンではなく、天然プロゲステロンを補充することで改善します。更年期障害の症状が出てきた場合は、一般的な婦人科でおこなわれているような合成ホルモンによるホルモン補充療法をするのではなく、天然プロゲステロンクリームを使ったセルフケアをするほうが、はるかに安全です。

天然プロゲステロンは造骨細胞を活性化させて、骨粗しょう症を改善させる働きがあるので、高齢者にもアンチエイジングのためにおすすめです。一般的な骨粗しょう症治療薬よりも、天然プロゲステロンの骨密度改善効果のほうがはるかに高いことが、リー博士によって明らかにされています。

天然プロゲステロンは、精神を安定させ、不安をとりのぞき、幸福感を増しますから、うつ病、パニック障害、不安障害、双極性障害、不眠症などのメンタルの不調がある人にも適しています。メンタルの不調に対して男女ともに活用できます。

iHerb（アイハーブ）という通販サイトで、天然プロゲステロンクリーム製品を購入できます。ボトルをワンプッシュすると一日の必要量である二〇ミリグラムの天然プロゲステロンが含まれるようにつくられている製品が便利です。毎晩、寝る前にワンプッシュして体に塗るだけです。必要量より多く使うと効果が出ません。リー博士の著書を読み、正しく使うようにしましょう。

閉経前の女性は、月経第一日目から数えて第十二日目にクリームを塗りはじめます。二十六日目まで塗り、それ以降、塗るのを休みます。閉経後の女性は、カレンダーを見て一日から二十六日まで毎日塗り、あとは月末まで休みます。男性は閉経後の女性に準じるとよいでしょう。

男性も副腎からプロゲステロンが分泌され、健康を維持しています。男性も女性と同様に、ストレスや過労で副腎が疲労状態になると、プロゲステロンの分泌の低下が起こります。プロゲステロンは、認知機能を健常に保つ働きも担っています。プロゲステロンの受容体は脳をはじめ全身にあって、全身の機能に関係しています。プロゲステロンは、テストステロンやエストロゲンのような性ホルモンではないので、性ホルモン特有の問題点はありませんから、男女ともにアンチエイジングを目的として広く安全に使うことができます。

ネット上で「プロゲステロンには発癌性がある」との記述をたまに見かけますが、これは合成プロゲステロン（プロゲスチン）のことを述べているのであり、天然プロゲステロンのことではありません。天然プロゲステロンは、反対にあらゆる癌を予防することが明らかになっているのです。

そして、天然プロゲステロンは、ダイズやヤムイモを原料とするジオスゲニンからつくられています。ただし、ジオスゲニンを酵素で分解してつくられるのであって、ダイズやヤムイモ、あるいはジオスゲニン自体を食べても体の中でプロゲステロンに合成されることはありません。また、天然プロゲステロンは、クリームとして皮膚から取り込むのがもっとも有効に利用されるのであって、サプリメントのように経口で摂取しても十分な効果を得ることはできないのです。

ところで、このコラムがなぜ本書に含まれているか、疑問を持たれる読者もいるかもしれません。ですが、これらはすべて、人としておこなうべき現実的な努力の一つです。**積善による果報や天佑神助による神仏の加護は、わたしたちが人として、あらんかぎりの具体的な努力を実行することで、はじめて授かることができるものです。**

たとえば、健康長寿したい、病気を治したいと願うのであれば、健康になるための具体的な努力をしなければ、それは結実しません。ただ健康を引き寄せようと念じたり、健康になりますようにと祈るだけでは天佑神助は授からないのです。積善の実践は幸せになるための土台ですが、それに加えて、願いを叶えるための現実的な努力も欠かせないことです。

このコラムをきっかけに、リー博士の著作を読み、正しい健康知識を手に入れて、健康長寿していくための現実的な努力をはじめられることをおすすめします。

本書では、ほかにもコラムとして、有益な情報を記載しています。ぜひ参考にしてください。

第二章

正しい積善が運命を変える

☆魂の黄金法則②

カルマのあがないの苦労も、積善の実行の困難も、
すべてあなたの魂を磨いて向上させてくれる。

1. 積善と生まれ変わり

積善造命法の先駆者、袁了凡

積善による運命改善の実例として、袁了凡の事績について学んでおくことは有益です。袁了凡は、中国の明の時代に実在した人であり、積善による運命改善を実践した人物です。日本が安土桃山時代のころに生きていた人です。

袁了凡は、医者であった父を早くに亡くし、母に育てられました。袁了凡の母は、息子に家業である医者を継がせようと、医者になるための勉強をさせていました。

あるとき袁了凡は、皇極神数という占術を会得した孔老人と知りあいます。孔老人は、袁了凡の人生にこれから何が起きるのかを詳しく占い、その出来事の起こる時期まで示してくれました。そして「あなたは科挙に合格して役人になる運命だから、科挙を受けなさい」と勧めたのです。科挙とは、明の時代の官吏登用試験のことです。試みに袁了凡が科挙を受けてみると、孔老人の占ったとおりの順位で合格しました。

孔老人は袁了凡の人生を細かく予言し、いつ、昇進試験に何番目に受かるのか、いつどんな地位につくのかまでを伝え、最後は五十三才で亡くなり、子供はできないというのでした。

不思議なことに、その後の袁了凡の運命は、孔老人の予言したとおりに進んでいったのです。それで袁了凡は、運命は天によってあらかじめ決められているのだと思うようになり、物事にいっさい動じないようになっていったのでした。

すっかり運命論者になっていた袁了凡は、あるとき、禅に興味を持ち、雲谷禅師という禅僧に教えを請いました。三日間にわたり参禅しても、まったく邪念を起こさない袁了凡を見た禅師は「あなたはどこでこれだけの修業をなされたのか？」と問いました。

そこで袁了凡は、これまでの経緯を雲谷禅師に明かし「すべて運命のままに淡々と生きています」と返答したのです。すると禅師は「**運命に拘束されるのは凡人だけであり、聖人や先哲たちは、天から授かった命数を善徳を積むことで自ら改善し、造命したのだ**」と教えたのです。

そして禅師は、積善と造命の方法を説いて、その実践のテキストとして『功過格』という書物を袁了凡に与えたのでした。これは、善事を功、悪事を過として、日々のおこないを計算できるようになっており、たとえば、死に瀕した人の命を救うのは百功、無縁者の死体を埋葬してやるのは五十功、反対に人を殺すのは百過、人をだまして物を盗むと五十過、というように、行動を善悪で記録することができるものでした。

袁了凡は、運命は変えられるという真理を悟って、この教えを素直に実践しはじめました。

貧しい人々に寄付をおこない、友人や縁者への施しや親切を積み重ねていったのです。仕事では、人々の幸せのために働くようにしました。

そうしているうちに、少しずつ、袁了凡の運命が、占いに示されていた筋書きとは異なる形に変化していきました。そしてついに、授かることはないと予言されていた子宝を授かったのです。男の子に恵まれたのでした。これに手ごたえを感じた袁了凡は、夫婦でさらなる積善に励むようになりました。

ある地方の長官をしていたとき、袁了凡は不思議な体験をします。「**減税をすればもっと大きな積善ができる。万人の命を救うに匹敵する**」と誰かに教えられる夢を見たのです。袁了凡はこの夢を信じ、自分の取り分を減らして、減税を実行しました。これによって多くの領民の暮らしが楽になったことはいうまでもありません。その後も積善を重ねた袁了凡は、五十三才で死ぬという予言をも打ち破り、七十四才まで長寿することができたのです。

袁了凡は、息子に積善の教えを伝えるために、『陰騭録(いんしつろく)』という書物を書き残しました。この書は江戸時代になって日本にもたらされ、『和語陰騭録』として普及しました。

生まれ変わりと霊界の実相

わたしたちの魂はこの世とあの世を往来しています。この世での数十年〜百年の生涯を終えると、あの世に行きます。あの世、すなわち霊界です。霊界で数百年生活したのち、魂はまたこの世に生まれてきます。

生きていたときにその人が持っていた心の状態は、死後、肉体を失った後もそのまま継続されます。そして、同じ性質のものは集まるという「類は友を呼ぶ」の法則のとおりに、同じ性質の者同士が集まって霊界での暮らしがはじまります。明るい心の人は、明るい心の人と引きあうので、明るい者同士が集まります。反対に、暗い心の人は暗い心の人と引きあうので、暗い者同士が集まります。

この世においても、人間は「類は友を呼ぶ」の法則のとおり、同じ思想、同じ価値観、同じ嗜好の者同士集まる傾向があります。霊界においては、肉体という物質の器に入っていないこともあって、心の周波数が同じ者同士が集まる作用がいっそう明確にあらわれるのです。

霊界は、意志と想念の世界です。同じような意志と想念を持つ者が集まって、その集合意識がつくり出した独特の世界に住まうようになります。これが、霊界における霊層というものです。霊界には上から下まで無数の霊層があって、人は皆、自分にぴったりとあう霊層に落ち着

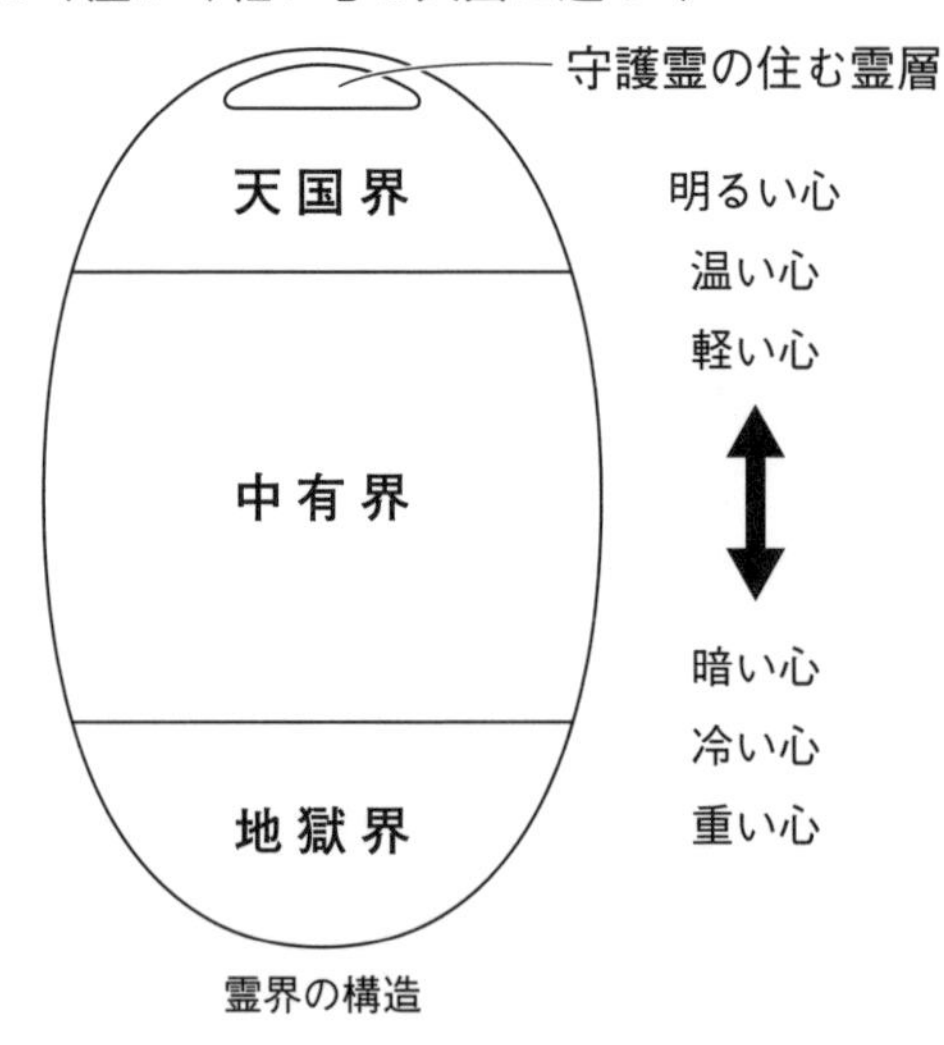

霊界の構造

くのです。

霊界は大きく三つに分けることができます。一番高貴な想念の人が住むのが、天国界、真んなかにあるのが中有界、その下が地獄界です。天国界も中有界も地獄界も、それぞれ細分化されていて、さまざまな霊層があります。人間は、死後、自分の生前の想念にふさわしい霊層に滞在し、再びこの世に生まれ変わっていきます。

それぞれの霊界は幸福感に違いがあります。上の霊層に行くほど、明るい想念、慈愛の念、そして、物事にとらわれない軽やかな思いを持つ魂が住む世界です。天国界に入るには、一定レベル以上の悟りがあって、叡智が備わり、聡明である必要があり、この世に生きていたときに、大きな積善を成し遂げている必要があります。**天国界は心が清らかでありさえすれば行くことができるというわけではなく、この世にいたときに、その行動によって積善の足跡を残していないと行くことができません。**学問や芸術、信仰的な生き方などの修養を積み重ねている人の中で、人々や社会に対して、積善のおこないを足跡として残した人が行くことができる世界なのです。

ほとんどの人が死後に定住することになるのが、真んなかにある霊界、中有界です。中有界は上層、中層、下層でかなり幸福感が異なります。中有界の最上層の世界は天国界のすぐ下ですから、幸せで快適な世界です。この霊層にいる霊たちは、ほぼ自由に好きな活動をして暮らしています。しかし、中有界の下層になるほど幸福感は小さくなり、不自由な要素が増えていきます。

幸福感がほとんど感じられず、怒り、憎悪、後悔、悲嘆、孤独、苦痛、苦悩のうちに過ごすのが地獄界です。地獄界は、この世でいえば、刑務所の懲役のような世界です。その人の想念が、暗く、冷たく、重いためにそこに行きつくのです。

明るい心とは、前向きな思考、感謝の思い、慈愛、夢や希望に満ちた心の状態です。このような想念を持っていれば、中有界の上のほうに行くことができます。さらに良き行動の実績をともなえば天国界に行けます。反対に、暗い心とは、後ろ向きの思考、憎悪、怒り、後悔、絶望、欲心などにまみれた心のことです。この状態にあれば、中有界の下のほうに行き、その程度やおこないによっては、地獄界に落ちるのです。

また、明るい心は温かさを伴い、暗い心は冷たさを伴います。温かい心とは慈愛に満ちた心のことです。慈愛とは人の幸せを願う思いであり、この世で積善をおこなうための土台となる心です。

反対に、冷たい心とは、慈愛のない、冷淡、冷酷な心です。

また「気分が重たい」というように、心には重い、軽いという違いもあります。物事に執着したり、とらわれているとき、心は重い状態となります。反対に、物事への執着を捨て、こだわりから解放されているとき、心は軽い状態となります。重い心は地獄界に近く、軽い心は天国界に近いのです。過去への後悔や執着は、心を重くします。いつまでも過去の出来事にこだわり続け、くよくよ悩み続けたまま死ぬと、天国に行くことはできません。

死後の世界を理解することで、積善の生き方が天国につながる道であるとわかるのです。

すべての魂は、進歩向上して、天国界に到達したいと願っています。そして、天国界まで到達すると、天国界にもたくさんの階層があるので、そこからまた、天国界の最上部へ向かってさらに進化しようと、どこまでも上を目指すことになります。

魂は、この世に生まれて経験を積むほうが、霊界で暮らすよりも早く進歩向上することができます。この世での百年の人生での進歩向上が、霊界での数百年分以上の進化に匹敵する成長につながることもあるのです。

霊界では、自分のまわりは同じレベルの魂ばかりですから、その分、ストレスもなく、すごしやすい環境です。そのかわり、成長を促す刺激も少ないのです。この世では、高い霊層に住む魂も低い霊層に住む魂も、肉体という衣のおかげで、玉石混交して同席することが可能です。それこそが魂の進化を促す刺激になります。

肉体の内側の次元には霊体があります。その霊体の核が魂です。梅干しにたとえると、梅干しの皮が肉体、梅干しの梅肉が霊体、そして梅干しの種が魂です。この魂が私たちの本体であって、魂とは神（宇宙創造主）の分魂なのです。

では、わたしたち人類がいつごろから神の分魂を有する存在になったのか。

それは、おおよそ六十万年〜百八十万年前の時代に少しずつ起きたのではないかと推測しています。というのは、このころに、器としての人間の脳機能がほぼ完成し、神のかけらである魂（神の分魂）が宿り、生まれ変わりの旅がはじまったのだと考えられるからです。

人類が誕生してまもなくのころは、霊界には、天国界も地獄界も中有界も存在せず、ほかの

人間以外の動植物は一つの群魂から多数の個体が同時期に生まれ、死ねば元の群魂に再び吸収される

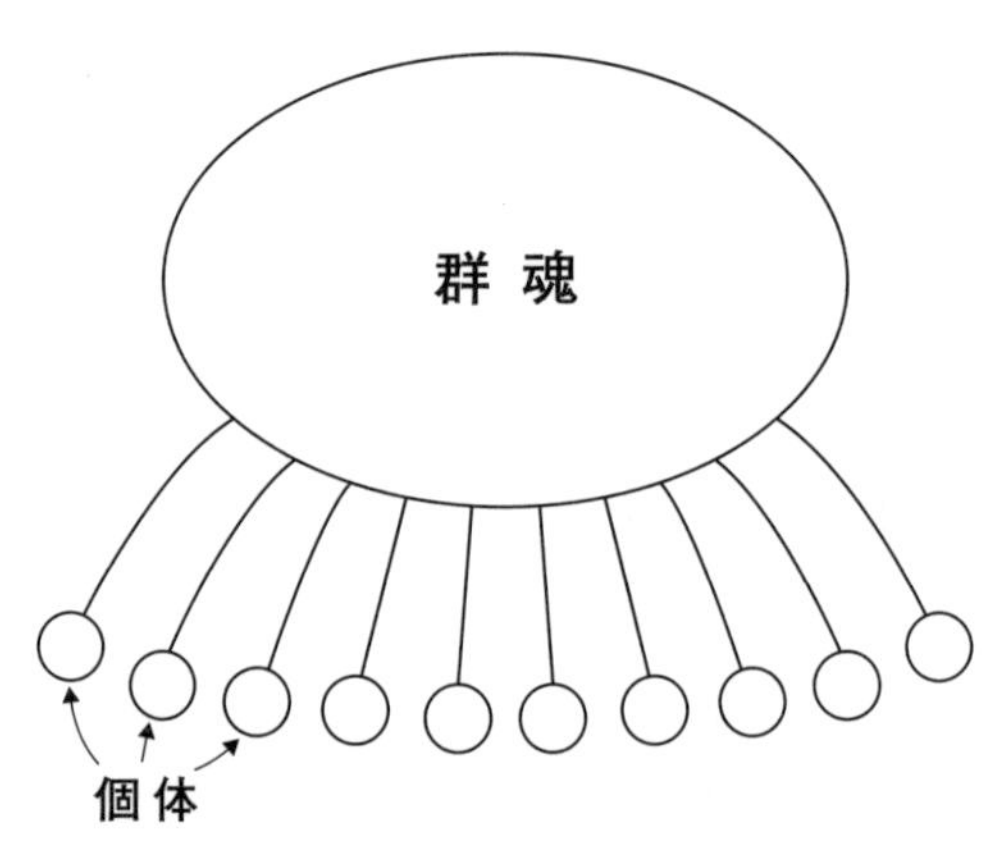

動物の群魂

動物と同様、単一の霊層しかなかったようです。しかし、人類が進化するにつれて、知性、愛、意志など、心が発達した結果、多様な人格、多様な性質が分化し、霊層もまた多様化したのです。何十万年もかけて、天国界に到達する高級霊が増えていったのでしょう。

人間以外の動植物は、群魂という仕組みを持っており、人間のような個を維持した形での生まれ変わりはしません。群魂とは、たとえばバケツの水のようなもので、ひとつひとつのバケツがそれぞれの生物種だと考えてください。この水をコップ一杯ずつ掬いあげると動物の一個体となります。個体が死ぬと、水はバケツのなかに戻り、個は吸収されてしまいます。

一つの群魂が、同時に多数の個体をこの世に送り出します。生物種が下等になるほど、その個体数は多くなり、高等になるほど同時にこの世に出てくる個体数は少なくなります。たとえば、野生のシカならば一つの群魂から数万から数十万体もの個体が出てきます。しかし、室内犬などは、一つの群魂から十数体程度しか出てきません。

これに対して、人間だけが、一つの魂が一つの個体を持ち、個を維持したままでの生まれ変わりを繰り返しています。魂が神（宇宙創造主）の全知全能に近づいていく進化の道を歩んでいるのです。

人間は神の子であり、神の全知全能を体現するために、魂を磨く進化の旅を続けています。神は全知全能の可能性を持ちますが、その可能性をこの世で現実化させるのが、人間の永遠の使命ということです。神の分魂を磨き高めていくことが、わたしたちの生きる目的です。そして、この目的に合致しているとき、人間は本当の幸福感を感じるようにできているのです。したがって、**積善をすればよい結果が戻り、積不善をすれば悪い結果が戻ってくるという、因果応報の法則は、神の分魂を持つ人間にだけ存在しているのです**。ですから、ライオンがシマウマを殺して食べても、カマキリがチョウを殺して食べても、因果応報の作用が生じることはありませんし、人間が動物や魚を食糧としたとしても、人を殺して生じるようなカルマは発生しないのです。

人は生まれ変わっているという話をすると、人口がどんどん増えていることについてどう考えたらよいのか、と問われることがあります。人口が増加すると、生まれ変わりのサイクルが追いつかないのではないかというのです。この疑問についてお答えします。

生命は長い時間をかけて、下等動物から高等動物に進化し、その進化の頂点に立つものとして人類が誕生したわけですが、現代においても、動物界から人間界へ繰り上がってくる魂が存在します。

主に犬、猫、猿、馬などの、人間と非常に近い位置にある愛玩動物で起こることです。たとえば、室内犬のように人間ときわめて近い関係で生きていると、人間の波動を受けることで、その犬に、次第に個我の萌芽が育っていきます。一般的に、高等な動物の群魂ほど、一つの群魂から地上に降ろしている個体数は少ない傾向があります。室内犬などは、一つの群魂が十数匹ほどの個体しか出していませんから、個我が育ってあるレベルを超えると、その個体は元の群魂に収まらなくなり、そこに神の分魂が入って、人間界に繰り上がってくるのです。

こうした未熟な魂は、最初は、未熟なまま死亡する乳児などに宿ります。その次には、精神の発達の未熟な個体に宿って、この世での人としての経験値を積みながら、進歩向上していくようです。そうした転生を繰り返しながら、魂を少しずつ向上させて、ようやく健全な肉体に転生できるようになるのです。そして、他の人と同じように、生まれ変わりながらさらなる高みをめざして、才能を磨き、進化を続けていくのです。

才能と生まれ変わりの関係

　このような魂の向上の仕組みからもわかるように、一般的に、**生まれ変わりの回数が多いほど、人格が円満で、知能が聡明で、そして才能が豊かです。才能は前世から継承した魂の資質であり、前世で自分が努力を重ねて磨き上げたものなのです。**

　音楽の才能、絵の才能、学問の才能、スポーツの才能、商売の才能、コミュニケーションの才能など、あらゆる才能は、生まれ変わりを繰り返しながら、魂が獲得してきた素養です。神仏を敬うこと、信仰心を持つことができるのも、前世で培(つちか)った一つの才能です。

　もし、生まれつき音楽の才能があるとしたら、それはあなたが前世で、音楽に関する才能を磨く努力をしていたということです。自己を磨くことも積善のひとつですから、その積善の果報によって、生まれ変わるときに優れた音楽的才能を持つ両親の子として転生できたり、幼少期から音楽の英才教育を受けることができる環境に生まれることができるのです。

　巷(ちまた)には、障害を持つ人や未熟な精神を持った人は、進化した優れた魂だと主張する人がいますが、魂の進化の仕組みを知れば、これが誤りであるとわかります。誤解を恐れずに言えば、生まれ変わりの回数が少なく魂として未熟であるためにそうなっているか、もしくは、前世でその原因となるマイナスのカルマをつくったからなのです。あなたが関わる人のなかに、そういった方がいるとしたら、優れた魂だと特別扱いすることも、劣った魂だと軽蔑することも、どちらも間違っています。人間には皆、神の分魂である魂が宿っているのですから、誰に対しても、神の分魂への敬意をはらいつつ、常識的な対応をすることが正しいのです。助けを必要としているなら助けてあげて、間違った思考や行動をしているなら教え諭して、正しい方向に導いてあげることです。

発達障害を持つ人が宇宙人の生まれ変わりだという主張も誤りです。発達がアンバランスな人は、前世での魂の磨き方に偏りがあるだけです。前世で磨いた部分と、前世で磨き足りない部分の差が大きいためにそうなっています。磨き足りない部分は今生で磨き足せばいいのですから、**長所を伸ばし、活かすことを基本的な方針**として、周囲が支え、見守っていきましょう。そうすることで、しだいに完全円満な方向に進化していくことができます。

精神の発達や知能の発達が遅滞している人に対しても同じで、「何もできないのだから、何もしなくていい」という考え方は間違っています。そのような人たちが少しでも進歩向上し、少しでも魂として進化できるように、周囲が愛情を持って働きかけていくことが大切なのです。生まれ変わりの回数が少ない未熟な魂を保護し、育てていくことは、大きな積善となるのです。

と同時に、その育てる苦労を通して、育てる側は、カルマの負債を返済しているという側面もあります。

また、地上の人口が増加していることは、生まれ変わりのサイクルの変化とも関連しています。有史以前の古代においては、霊界で生活する時間が非常に長く、数百年から千年も霊界で生活してからこの世に転生していたようですが、時代が下るにつれて、そのサイクルは短縮されています。

現在では、死後二百年ほどで、次の転生がおこなわれるケースが増えています。それだけ時代の変化が早くなってきており、地上の人間社会の変遷が大きいので、魂にとって学ぶべきことが多いからであると考えられます。

平均的に、魂は二百年から三百年で生まれ変わりますが、天国界に到達すると、生まれ変わりを卒業して天国に永住権を得ますので、この世に転生してくることは少なくなります。ただし、先に述べたように、天国界でより高い霊層に上がるため、あえてこの世に生まれ変わる魂もいます。

また、地獄界に落ちてしまうと、そこは刑罰の世界ですから、刑期が終わるまで生まれ変わりが許されません。そのため、地獄界には八百年とか、千年といった長期間苦役に就く霊もいます。凶悪な霊は数千年も地獄の牢獄に留めおかれます。

多数の人間を虐殺したり、大罪を犯した場合、地獄界での浄化のための長い修業が待ち構えています。それを終えてようやく生まれ変わったとしても、因果応報の報いで不幸な死を遂げる人生を何度も繰り返すことになるでしょう。

自分はこれまで何回生まれ変わったのだろう、と思った人もいるかもしれません。未熟な魂は生まれ変わりの回数が極端に少ないことは、先述したとおりですが、一般的には、多い人で百五十〜百六十回、少ない人でも五十〜六十回の生まれ変わりを経験して現在に至っているようです。

特殊なケースとしては、戦争で命を落とす場合があります。戦争は国家の命令で戦うものであり、兵隊になる人々の多くは国や家族を守る気持ちで戦っていますから、積善の側面もあります。それゆえに、戦争で亡くなった場合は、十数年から数十年という短期間で生まれ変わってくるケースも多いようです。

前世療法でも、前世が特攻隊の兵隊だった人、戦闘機に乗って戦死した人、第一次世界大戦や日露戦争などの戦役で命を落とした人など、さまざまな事例があります。日本人兵士だった前世を持つ人の特徴として、愛国心が強く、日本の国の行く末を憂慮し、なんとか日本の国が良くなるように、という願いを抱いている人が多くみられます。

日本人兵士として生きた人の多くは、高潔な心で、国を守るために命を捨てて戦争に赴き、

祖国を守って散華された人たちです。大義のために命を捧げる人生であったことは、魂を大きく進歩させるようです。もちろん戦争などないほうが良いし、神様の願いに沿って、世界を平和にするために、現実的な努力を重ねる、つまり、積善をすることがわたしたち人類の使命です。

もし、あなたが強い愛国心を持ち、日本の国を守りたいと願い、日本がより良くなるようにということを日夜考えているような人なら、こうした日本人兵士の生まれ変わりである可能性があるでしょう。あるいは、外国で政治や戦争に関係する生き方をしていて、平和を希求し、戦争を止めるために尽力したのかもしれません。

最近、前世療法を受ける人のなかに、このような前世を持つ人が増えてきているように思います。**今の時代は、再び激動期に入ろうとしていますから、この時代の混乱のなかで、再び国のために活動したいと願い、タイミングを合わせて転生してきている魂が多い**のかもしれません。

そうした魂は、今は、引きこもりをしていたり、いじめによって萎縮していたり、両親との関係で愛着障害に陥っていたりしていても、何かのきっかけで魂が目覚め、前世の熱情を思い出しさえすれば、使命感に突き動かされるようにして、本来の力を発揮しはじめます。もしかすると、今、本書をお読みのあなたも、そうした魂の持ち主かもしれません。

2. 積善と魂の向上

積善とは愛の念にもとづく行動

積善とは、魂の向上につながる思い、言葉、行動のことです。端的にいうと「愛の念にもとづく行動が積善である」ということです。

愛の念にもとづく行動とは何か。それは、自分と他者に、安心、満足、喜びを与えることです。反対に、自分と他者を苦しめ、悩ませ、困らせるのは、愛の念ではありません。自分も他者も幸せにすることが善であり、自分や他者を不幸にすることが不善です。

孔子の教えをまとめた『論語』のなかに「自分がされて嫌なことは他人にしてはならない」という教えがありますが、これが積善の指針です。また『論語』には「忠恕（ちゅうじょ）」という教えがあります。「忠恕」とは「真心と思いやり」のことです。真心と思いやりを根底として生きれば、積善の生き方がおのずから実践できます。

神の分魂がつくり出す原因と結果の法則があるがゆえに、わたしたちは、善因善果、悪因悪果の経験を通じて、何が善であるかを悟ることができるのです。積善を通じて、真、善、美を認識し、自ら表現することで魂は磨かれます。

積善を重ねるとプラスのカルマが貯まります。**積善の貯金が大きい人は、願うことがスムーズに叶い、満足度の高い幸せな人生を歩むことができます。**反対に、積不善を重ねるとマイナスのカルマが負債のように蓄積します。積不善の負債が大きい人は、苦難の多い人生となります。

生まれ変わりを繰り返しながら、積善の道を歩んでいくことで、魂は自然と、真、善、美を会得していけます。その方向で進めば進むほど幸福感が増し、歓喜感動の世界に住むことができるようになります。このことを悟って、生き方を改めるならば、向かい風が多い人生を生きている人であっても、その暴風はしだいに止み、人生行路が少しずつ平坦になって、生きやすい人生に変わっていくことでしょう。

積善と積不善の見分け方

積善を正しくおこなうには、何が善で何が不善かを理解する知恵が必要です。知性と教養を磨くことが積善の土台となるのです。善だと思っておこなったことが、大所高所から見れば不善だったということもあります。

たとえば、目の前に、我がままを言って泣き叫ぶ子供がいたとします。その子が喜ぶからと何でも言いなりになり、欲しがる物を次々に与えているとどうなるでしょうか。おそらくその子は、わがまま放題の自己中心的な人間に育ってしまうことでしょう。

子供を適切に育てるためには、子育てについての学びが必要です。専門家の意見を聞いたり、書物に学んだり、先輩の話を聞いたりすることではじめて、何が子育てにとって良いことで、何が子育てにとって悪いことなのかを識別できるようになります。積善と積不善についても同じなのです。そういった学びをせず、自分の体験や経験だけを頼りにして行動すると、しばしば独善に陥ります。独善は真の善ではありませんから、これでは不善を重ねることになります。

正しい積善を成し、独善を避けるためにも、学問を積むことが大切なのです。いまは子育てを例にあげましたが、人生全般においてあてはまることです。

「愚者は経験に学び、賢者は歴史に学ぶ」というビスマルクの有名な言葉がありますが、ここで言う「歴史に学ぶ」とは、つまりは学問をせよということです。経験から学べることは多くありますから、経験を積むことは大切ですが、それと同様に、学問を積むこと、先賢の知恵に学ぶことが大切です。

『論語』に、「学びて思わざればすなわちくらし、思いて学ばざればすなわちあやうし」という教えがあります。「読書など学問だけに頼ると、生兵法で大けがをするし、学ぶことなく経験だけに頼れば、独善に陥って危険な目にあう」という意味です。正しい積善を実践するためには、学ぶことと、経験を積むことの双方が大切です。

学問を積むことが魂の向上につながるわけですが、ここでいう学問とは、受験勉強のような学校で習う勉強のことではありません。人生哲学、人間学などの生き方の学問を主に指しています。

受験勉強は、知性と教養の基礎になりますが、受験勉強だけできても、人生哲学、人間学が欠けていれば、いわゆる「学校頭」になるだけです。東大京大を卒業した人間が必ず幸せな人生を歩めるとは限らないように、学歴だけ高くても、性格が悪く、悪事をなす人間もまた存在します。

それでは、具体的にどのような書物を学ぶべきかを挙げてみましょう。一番におすすめするのは古典です。『論語』『孟子』『大学』『中庸』『易経』などの古典を現代語訳し、わかりやすく解説した書物がたくさんありますから、最初はこうした書物を読んでいきましょう。学びを深めることで独善を避けることができ、より高い見地から真の積善がおこなえるようになります。

積善をおこなう上で、もう一つ気をつけるべきことは、偽善を避けるということです。偽善とは、形式だけの積善のことです。**積善が「徳分」という天の宝として蓄えられるには、その**

行為が真実の愛や善意から発せられたものでなくてはなりません。

「この行動をすれば、自分の評価があがる」「この善行をすれば、人望が集まる」「これで売名ができる」などといった、打算にもとづく善行は偽善となり、善徳を積むことにつながりません。逆に、誰にも知られることなく、賞賛されることもなく、ひそかにおこなわれる積善のことを陰徳と呼びます。これはもっとも功徳が大きいものです。

最初に愛と真心から発し、愛と真心からの思いが極まって、愛と真心のこもる言葉となり、それがさらに極まると行動になって表現されます。思いと言葉と行動の三つが一致した善行だけがプラスのカルマを生じ、「徳分」となって天に宝を積むのです。宇宙銀行に貯金された積善ポイントは、やがて幸運となってあなたに降りてきます。

独善や偽善は、愛と真心が欠如していますから、徳分として加算されません。独善や偽善ではない真の積善が成せるよう、修養を重ねていく必要があります。

自他に「安心、満足、喜び」を与えるのが積善ですが、重要なことは愛の心の発動によるかどうかです。積善には、愛の心からおこなうものの他にもう一つあります。それは、向上心の発動による積善です。自他の魂を向上させることも積善なのです。自分の知識や能力を進歩向上させることや、他者の知識や能力を進歩向上させることは、大いなる積善であり、人間が生まれてきた目的を果たしているということになります。

わたしたちは、魂を向上させるためにこの世に生まれてくるのですから、**万能自在をめざすこと、完全円満をめざすことは、人類の天命**なのです。

社会的に成功している人の前世療法をすると、教育者として、たくさんの子供や若者を教え導いた前世がしばしば出てきます。江戸時代の寺子屋の先生として子供達に論語や読み書きを教えていた前世や、修道女として孤児院を運営し、孤児たちを温かく育てて教育した前世などです。人を正しく育て、幸せな人生が歩めるよう教育し導くことは、大きな積善となります。

積善の生き方の規範として、非常に優れた教えが教育勅語です。教育勅語はいまだに多くの人に誤解されていますが、これは戦後のマスコミによる情報操作によるところが大きいと思います。ほとんどの人は教育勅語の内容さえ知らないようです。ですが、そこに説かれた生き方の規範は、『論語』の精神にも通じるすばらしい内容です。親孝行することや、夫婦円満、兄弟姉妹は助け合うこと、学問を積むこと、職業に就いて社会貢献することなどを勧め、さらには困っている人には愛の手を差しのべよと説き、積善を勧めています。

教育勅語は、明治維新によって急速に西洋化していく日本の様子を見て、日本の良き伝統的精神が失われることを危惧された明治天皇によって発表されたものです。明治天皇の個人的意見の表明という形で発表され、法的な拘束力は持っていませんでした。明治神宮のホームページには、教育勅語の現代語訳が公開されていますので、一読してみてください。今の時代にこそ蘇るべき、日本独自の道徳の規範といえる、すばらしい教えだと思います。

袁了凡の積善の十ヶ条

先ほど、袁了凡の足跡についてご紹介しましたが、その袁了凡がまとめた積善の指針が、「積善の十ヶ条」として残っています。これは、袁了凡が『陰騭録』のなかに残した教えです。あなたが積善をおこなううえでの参考となるでしょう。

第一条　人とともに善をなす

自分だけ積善の生き方を淡々とおこなう、というのではなく、人々に善のおこないを広く勧め、皆でともに積善をしていくということです。

自分だけで積善をするのではなく、広く他者にも積善を促して善徳の果報が及ぶようにすることは、多くの人々を幸せにすることにつながります。あなたの身近にいる家族といっしょに、積善の行動をはじめてみましょう。積善は身近なところからはじめて、少しずつ、家族、友人、知人、地域、職場、国というように広げていきましょう。

第二条　愛敬、心に存す

愛と敬を心がけるということです。愛があれば、おのずから仁（思いやり）のおこないとなって出てきます。敬があれば、おのずから礼節ある態度となって出てきます。愛と敬が心にあれば、それだけで積善の道がどんどん開けていくのです。**愛の念が出ている状態とは「○○さんが幸せになりますように」という思いが胸のうちにある状態です。**また、人のうちにある神様（魂）を見る気持ちがあれば、誰に対しても敬の心を向けることができます。

第三条　人の美を成す

自分の美点、他者の美点を磨き上げてすばらしいものにすることです。

美点とは、長所や才能、得意分野のことです。自分を磨いてより良くすることは積善であるし、他者の美点を伸ばしてあげることもまた積善です。わたしたちは魂の向上のために生まれ変わりますが、その魂が目指しているのは、万能自在、多芸多才な存在に進化することです。

そのためには、長所や得意分野を磨いて伸ばすことが大事です。長所を伸ばすことで、短所はしだいに目立たなくなります。**人の美点を伸ばしてあげるための一番効果的な行動は、その人をほめたたえることです。**生き方をほめたたえる、努力をほめたたえる、成果をほめたたえる、センスやファッションをほめたたえる、長所をほめたたえる、ということです。心から人をほめたたえることで、相手を勇気づけて、元気にしてあげることもできるのです。人をほめたたえることの大切さが理解できたら、さっそく身近な人をほめたたえましょう。伴侶、親、子、友達、職場の人々などをほめたたえましょう。

第四条　人に善を勧める

第一条に重なる言葉ですが、ここでは、より良い生き方、積善をする生き方のすばらしさを、周囲の人に勧めていくことに焦点を当てています。

積善を心がけるまでの境地に到達していない人もいますから、よく人を見極めて勧めることが大切です。拒絶されることもあるかもしれません。それでも、積善の道を自ら実践しつつ、周囲の人々に勧めることは大切なことであり、大いなる積善です。**あなたの勧めがきっかけになって積善の道に参入するご縁のある人は、必ず存在します。積善の道を歩むように導くことは、その人を苦しみから救い、幸せの扉を開くのです。**本書を友人や知人に勧めることも、大きな積善になるでしょう。言葉に自信がなければ、積善を奨励する本を友人や知人にプレゼントするのも一つの手段です。積善を志す人が増えれば増えるほど、世の中はより良くなりますから、人に善を勧めることは、社会全体を救っていくことにつながる大きな積善となるのです。

第五条　人の危急を救う

困っている人がいたら助けることです。

袁了凡はある地方の長官であったとき、高い税に苦しむ人々を救おうと減税をおこないました。ひるがえって、今の時代のように、疫病のために経済的に困窮する人々がいたら、政治家は、それらの人々の暮らしを守るために動かねばなりません。政治家なら、政府を動かして給付や減税で国民を救うことができるのです。危急を救う善行の効果は非常に大きいものです。世の中に、さほど善人でもないのに、幸せに恵まれている人がいるのは、その人が前世で人の危急を救ったなどの、隠れた善行があったためであると考えて間違いありません。

第六条　大利（たいり）を興し建てる

これは、国や地域の人々のために有益なおこないをするということです。

国がより良くなるように行動したり、地域や社会がより良くなるように行動することは、大いなる積善です。そのためにも、まず、自分が住んでいる国をすばらしくしていきましょう。

自国の問題よりも、外国にばかり目を向ける人がいますが、これは正しい方向性とはいえません。**日本に生まれてきたのなら、まず日本をすばらしくするために尽力しましょう。**自分の国がより良い国になるように、自分にできることをする。そして、自分の国を災いや戦乱から守るのです。そのために何ができるかを、それぞれの立場で考えることが大切です。

たとえば、選挙に足を運ぶということからはじめてもいいでしょう。国家に有益な人材が選ばれるように努めることも、積善となります。コラムでもご紹介しているとおり、日本の国には、解決すべき問題がたくさんあります。

さまざまな分野で、「大利を興し建てる」を実践している人を見出すことができます。たとえば、寄生虫の特効薬の発見で、二〇一五年にノーベル生理学医学賞を受賞した大村智氏は、数々の研究や発見で医療に寄与するだけでなく、地元に美術館を寄贈したり、さまざまな慈善事業をおこなっています。今生で多くの積善を重ねて、まさしく大利を興し建てる生き方を実践されている大村氏の来世は、さらにすばらしいものとなることでしょう。

第七条　財を捨てて福を作す

これは、お金を使った積善について述べています。

困っている人のための募金や、後述する推奨神社での寄進などは、すべて「財を捨てて福を作す」積善です。お金や物による施しは利他の効果が大きいので、これらはとくに大きな果報をもたらします。あなたがもし、**自分の金運を上げたい、豊かになりたいと願うのであれば、収入を自分の暮らしのためだけに使ってしまわず、できるだけ財を捨てて福徳の種をまきまし**

ょう。そのとき、喜捨の心が大切です。喜捨とは「喜んで捨てる」と書くとおり、善徳を積ませていただけることを神仏に感謝して、喜んで実行することを意味します。

また、お金を使うことなくできる積善も大切です。仏教の教えで有名な「無財の七施」も、財（お金）を使わずにできる布施（積善）として知っておくとよいでしょう。「無財の七施」は、和顔（笑顔）、愛語（優しい言葉）、心慮（思いやり）などの、お金以外でできる積善です。町をきれいにするためにゴミを拾う、掃除をする、整理整頓するなどの行為も積善となります。

第八条　正法（しょうほう）を護持する

正法とは、因果応報の法則を含めた宇宙の真理であると考えてよいでしょう。**常に因果応報の法則が働いていることを忘れず、自分の想念、言葉、行動に気を配る状態になると、正法の護持ができている**といえます。

因果応報の法則が善因善果の作用として人生に働き、幸せを創造するために、積善の心がけを持つということです。明るく、温かく、軽やかな心の状態を目指すと、自然と積善がどんどんできるようになります。そして、より大きな角度から積善がおこなえるようになるためにも、よく学びましょう。

第九条　尊長を敬重す

尊長とは、年上の人、目上の人のことです。尊長を敬いましょうということです。

これは社会においては「忠」、家族においては「孝」の心となります。この心が行動に表現されると、礼節となってあらわれます。忠や孝の心は、社会に秩序と調和をもたらします。人類が平和な理想社会を築くうえで、秩序と調和はたいへん重要な要素です。元号となった令和という言葉のなかにも、秩序と調和の意味が含まれています。そして、守護霊もわたしたちから見れば尊長にあたります。守護霊については次の章で詳述します。

第十条　物の命を愛惜(あいせき)す

人間が生きていくためには、植物や動物の命をいただかなければなりません。動植物を殺すことなく、人間が生命を維持するということはできません。ですから、ここで述べたいのは、無益な殺生をしないということです。

面白がって小動物をいじめたり、殺したり、街路の花の枝を折ったり、というような行為は積不善であり、不幸の報いを受けることになるでしょう。動物を殺すのが嫌だからと菜食主義をする人がいますが、植物にも命があることに変わりはありません。菜食主義なら殺生をしていないと考えるのは浅はかです。

人間の健康のためには、動物性たんぱく質は必須のものです。菜食主義では健康長寿することはできません。健康長寿すれば、その分だけこの世に長くとどまり積善ができるのですから、健康に生きるために動植物の命をいただくことについてはマイナスのカルマとなりません。感謝をしていただきましょう。

動物愛護は、積善につながる部分もありますが、注意も必要です。なぜなら、動物愛護の気持ちがあまりにも強いために、動物虐待防止運動やエコロジー運動にのめり込む人がいるからです。このような活動をする人のなかには、動物と人間を同列に扱っているケースも多く、動物を守るためにもっと人類が犠牲をはらえばいいのだとか、極端な方向に走っている人もいます。これは間違った考え方です。**人間にだけ、宇宙創造主の分魂が宿っているのであり、人類を救済することこそが、わたしたちが第一番目に目指すべき方向です。**

人類の魂がしだいに進歩向上して、人間の社会が理想的な姿に近づいていくことで、おのずから動物の虐待も減少し、自然破壊も減少していきます。つまり、**人類の救済を第一にすべきであり、動物の救済はその次の問題**であるということです。けっして動物虐待防止運動が悪いというのではなく、児童虐待や貧困問題の解決のほうが喫緊の問題であるということです。優先順位を間違うと独善になってしまいますから、気をつけなくてはなりません。

コラム2

ビタミンDの話

ビタミンDは、太陽光を浴びると皮下で合成されるビタミンです。骨を丈夫にする働きのほか、免疫機能に重要な役割を持ち、欠乏すると、さまざまな病気が発生しやすくなります。花粉症や喘息、アトピーなどのアレルギー、乳癌や大腸癌など、そして、うつ病もビタミンDの不足が関係しています。

感染症に対する免疫力にも関与しており、**ビタミンDが欠乏すると、風邪やインフルエンザ、コロナウイルスなど、ウイルス疾患に感染しやすくなることがわかっています。**ビタミンDは免疫細胞を活性化する働きがあり、ビタミンCと併用すれば、免疫力を上げることで感染予防の効果がいっそう高まります。

ビタミンDを補充する簡単な方法は、毎日、直射日光を浴びることです。十分に肌を露出して、一日中日光浴をして日光を浴びると、一万IUのビタミンDがつくられることがわかっています（ビタミンDは国際単位IUであらわします。五μgが二百IUに相当）。ですが、現代人は紫外線を嫌って日焼けを避けるので実行が難しいかもしれません。ビタミンDは、安価なサプリメントが市販されているので、サプリメントでビタミンDを毎日摂取すると便利です。

厚労省の上限基準としては、一日四千IUまでのビタミンDの摂取ということになっていますが、ビタミン療法では、成人は毎日五千IUのサプリメントが処方されることも多いようです。

一カプセル五千IU含有のビタミンDサプリメントは、iHerb（アイハーブ）やAmazonなどの通販で購入できます。病院で処方されるビタミンDは活性型であり、医師の管理下に内服しないと副作用の危険があります。しかし、市販のビタミンDサプリメントは天然型のビタミンDですから、体内で必要に応じて活性化されるため、危険が少ないのです。

花粉症、アトピー性皮膚炎といったアレルギー疾患の背景にもビタミンD不足があります。ビタミンD不足により、心疾患、脳梗塞のリスクが高まり、乳癌や大腸癌などの癌が増加することもわかっています。さらに、ビタミンDには神経保護作用があり、ビタミンD低値と将来の認知機能低下や認知機能障害との関連が報告されています。ビタミンD値が低いと認知機能障害リスクが二〜三倍高まることがわかっています。ビタミンDは、慢性的な疼痛、肩や腰や膝の痛みなども緩和します。先進諸国ではビタミンD不足の人が多く、それが慢性疾患の一因と考えられています。**日本人の八割でビタミンDが不足してお**

り、四割で欠乏しているといわれています。

ビタミンDは、植物に多く含まれるD_2と動物に多く含まれるD_3がありますが、人体に入り代謝されると、どちらも同じ働きをします。魚類に多く含まれるほか、きのこ類、卵類にも含まれています。しかし、食品だけでは、十分な量のビタミンDを補充することはできません。

人間は、日光にあたると皮下でビタミンDを合成して、それを使って健康を維持するようにできています。これは太古の昔から連綿と続いてきたことであり、日光にあたらないと人間は健康に生きることはできないのです。日中に十五分間ほど、半そで半ズボン程度に肌を出し、直射の日光浴を週三度ほど実行できれば、ビタミンDは確保できるといわれています（ガラス越しや日焼け止め使用下では効果はありません）。しかし、それだけの日光浴もできない人が多いようです。

乳児も一日五分間程度の日光浴は必要です。日照を受ける機会が少なく育った乳児は、ビタミンD不足による「くる病」の危険が高くなります。高齢者は日光を浴びてもビタミンDを若い人のように十分に合成できませんから、やはりビタミンDをサプリメントで飲むようにすべきです。

また、ビタミンDの欠乏は、うつ状態を起こしやすいともいわれています。うつ状態、うつ病などメンタルの不調に悩む人にも、ビタミンDは良き助けとなるでしょう。最新の研究では、ある種のウイルスの感染によって、脳に異常なたんぱく質（SITH1）がつくられ、それがうつ病を起こしているらしいこともわかってきています。ウイルス感染に対する免疫力を高めるビタミンDが、うつ病の予防に有益であることに通じる研究です。

ビタミン療法に関しては、エイブラム・ホッファー博士の『オーソモレキュラー医学入門』（論創社）が一般向けでわかりやすいので、参考にしてみてください。

第三章 積善を守護する存在

☆魂の黄金法則③
積善と祈りの実行で天佑神助を授かると、人生は好転する。

☆魂の黄金法則④
引き寄せとは「貯金」おろし。「貯金」とは積善の総量。積善こそ幸せの根源。

1. 守護霊と積善

魂の進化のために生まれ変わる

人間は、六十万年以上昔から、宇宙創造主の意志によって魂の器となり、生まれ変わりを繰り返しています。宇宙創造主は、その全知全能の可能性を物質世界において顕現させるため、長い年月をかけて動物を進化させ、神の代行者としての人類という器を創造したようです。これは、前世療法で得られたことを総合的に分析した結論です。

動植物と人間は、生まれ変わりの仕組みに大きな違いがあります。動植物の魂は群魂といって、多数の個体が同一の魂のもとにあります。それぞれの個体が生まれてくるのは、一つの大きなバケツから水をコップでくみ出すようなものです。コップの水が個体です。個体が死ぬと、水はバケツのなかに戻ります。これらの群魂は、人間の持つ魂とは種類が違います。

人間の魂は個我を有しており、一つの魂が一人の人間をこの世に生誕させます。その人が死ぬと肉体は滅びます。死後しばらくのあいだは、肉体のすぐ内側の幽体がまだ残っていますが、数十年で幽体が崩壊し、霊体だけになります。すると霊体は、霊界という次元に移行します。

霊体は霊界で一定期間過ごし、再びこの世に生まれ変わるのです。

肉体を通じて獲得した様々な美徳、才能、思考（知性）、高貴な意志などのエッセンスは、霊体を介して魂へと吸収されます。魂の願いは、地上に下ろした肉体が、魂の進化という目的に沿った生活をすることにあります。進化とはより良くなることですから、つまり「より良くしよう」というのが魂の意志です。

この世に生きる以上、わたしたちは常に「より良くしよう」という意志を持って人生に取り組む必要があります。「より良くしよう」と思って生きている人は、幸福感を感じていると思います。魂の目的に合致しているとき、人間は幸福感を感じるようになっているからです。もし今、あなたが幸福だとあまり思えていないとしたら、それは「より良くしよう」という意志を発動していないためです。

人生をより良くしようと願うなら、何らかの努力を開始しなければなりません。努力を重ねることで魂が磨かれ、進歩向上していきます。

人間の魂が持つ個我とは、神の分魂です。人が神の子であるといわれるのは、この世における神の代行者が人間だからです。人類は、宇宙創造主が持つ全知全能の可能性をひとつひとつ形にあらわしていくために、生まれ変わり、魂を磨いているのです。

そのために、わたしたちは努力を重ね、進歩向上していくのです。この世の人生において、努力すること、向上することとは、人の内奥に坐す神の分魂を体現することなのです。**巷には、「努力しなくていい」「ありのままでいい」「がんばらなくていい」と教えている所もありますが、それは大きな間違いであり、向上心こそ神の宝なのです。**ありのままで良いわけはありません。今よりも少しでも進歩向上し、改善し、より良くしようと努力することで、あなたの魂は輝きを増していくのです。

つまり、霊格、霊層が向上してより高い霊界に住めるようになるということです。

そして、努力には、正しい努力と間違った努力があります。正しい努力とはあなたを幸せにする努力であり、間違った努力とはあなたを不幸にする努力です。本書を通じて正しい努力とは何か、理解を深めてください。

霊界の進化と守護霊システム

守護霊とは、わたしたちの魂の向上を見守り、導く存在です。守護霊になれる魂は、すでに天国界の上部の霊層に永住権を得ている魂です。天国界の中で、一定の霊層より上に到達すると、この世に生まれ変わらなくてもよくなります。天国界に参入できたあと、天国界の上層へ上がるために、さらなる進化をめざして、この世に生まれ変わる魂もあります。

天国界の上部の霊層まで到達した高級霊は、最後に肉体を持って生まれたときの、自分の子孫との血脈のつながりを活かして、子孫のこの世での魂の修業を導く守護霊となり、神様の御用を務めるようになります。祖先の霊と子孫は霊的な縁(えにし)の糸でつながっていますから、影響を及ぼしやすいのです。

通常は、**守護霊一人と、守護霊をサポートする複数の高級霊が守護霊団となり、チームで子孫を守ります。守護霊団の人数は、わたしたちの生き方次第で増減します。**未熟な魂の場合、守護霊団の人数は数名ですが、魂が向上するにつれて十数人になり、さらに数十人になっていきます。世のため人のために大きく活躍する人の場合、守護霊団の数は、数百人から数千人にものぼることがあります。

守護霊や守護霊団の構成員は、その人の祖先で天国界に永住している高級霊のなかから選ばれます。血脈のつながりがあるほうが導きやすいからです。一般的に、十代前から二十代前のご先祖のなかから、とくに秀でた高級霊が守護霊となります。これが、前世療法における真のスピリチュアルガイド（魂のガイド）です。

しばしば、亡くなった祖父母や両親のことをスピリチュアルガイドと誤認しているケースを見ますが、こうした近しい肉親は、よほどの例外を除いて、天国界に参入するほどの霊格に至っていません。彼らは中有界で修業をして再び生まれ変わっていく存在ですから、守護霊のライセンスを持っていないのです。

守護霊という仕組みは、人類誕生の当初から存在したわけではありません。人間の魂の進歩向上にともなって、霊界が分化して発展し、天国界に永住するレベルの高級霊に進化する魂がふえていくなかで、しだいにこのシステムが形成されたのです。今では、この世に生まれてくるすべての人間に必ず守護霊団がついています。

念のために付記すると、動物には守護霊はありません。「わたしのペットの猫の守護霊が云々」という質問が来ることもありますが、犬や猫に守護霊はいないのです。

また、「私の前世はペンギンです」といったこともありえません。人間の前世は必ず人間です。人間の魂が進化を逆戻りして動物に宿ることはありませんし、動物が突如、普通に生きる人間に生まれ変わることも不可能です。

前世療法のなかで動物の前世が出てきたとしたら、それはファンタジーを見ているにすぎません。正しい前世療法ができていないということです。前世療法で、スピリチュアルガイドとして亡くなった両親祖父母などの肉親が出てきた場合も、正しく守護霊につながることができていないことを示します。それはたんに死者の霊と交流したにすぎず、守護霊がもたらす叡智や啓蒙に触れることがないまま終わったということなのです。

守護霊の話をすると「守護霊に守られているなら、どうしてわたしはこんなに運が悪いんですか？　どうして願いが叶わないいんですか？」と言う人がいます。これは、守護霊の働きについてよく知らないために起きる疑問です。

守護霊などの高級霊は、人を守り、導くとき、その人間の自由意志を邪魔してはならない決まりになっています。人間はこの世で自由意志を働かせ、経験を積んで、魂を磨いています。試行錯誤し、失敗をすることで学んでいるのです。最初から失敗のないように全部答えを教えていたら、その人間の魂は進歩向上できないままでしょう。

ですから、守護霊などの高級霊が、人間に対してなんらかの方法で指図をしたり、命令したり、何かを強要するようなことは、ありえないことです。守護霊は、お告げや霊的メッセージのような不思議なオカルト現象は用いません。そのような方法では、人間の魂が進歩向上できないことを知っているからです。

もし、毎日お告げやメッセージを送ってくるような守護霊がいたとしたら、それは守護霊に化けた邪霊の仕業（しわざ）です。このことが理解できれば、巷にあふれる霊能者、チャネリング、霊的メッセージなどの正体がわかります。霊能者や占い師に頼ったり、依存したりすることは、人間としての進歩向上の正道から外れていく邪道であり、最終的に不幸になる道であることを知っておいてください。

そして、たとえ守護霊が守っていたとしても、人間のこの世での人生の流れは、あくまでも、本人の因果応報の法則のもとにあります。前世で積不善を重ねたために、今生で苦労しなければならない部分が、守護霊に守られて帳消しになることはありません。守護霊はあなたのエゴやわがままを聞いてくれるような便利な存在ではないのです。

では、守護霊は何をしているのでしょうか。

守護霊は、普段、ご自身の座である天国界上層部に住んでいます。霊的な子孫とのつながりがあるので、子孫の状態は常にモニタリングできているのです。そして、その人が一生懸命に努力をして何かを成そうとしているとき、その努力を守り、成就するように導いてくださるのです。守護霊が強く動かれるときには、瞬時に子孫に合体されます。

とくに、**精進努力して没我没頭しているときは、守護霊はその人のそばについて、もしくはほとんど合体して、その人の努力を守ってくださるのです。**努力をしている人に、その志の成就のために有益な良き人とのご縁を結んで出会わせてくれたり、あるいは、ふとしたヒラメキという形で、インスピレーションを与えることもあります。

ただし、出会いやヒラメキはすべて守護霊の導きであるとはかぎりません。邪霊の仕業ということもあります。邪霊は、その人を不幸にする悪い出会いをつくったり、不運に陥れる悪いヒラメキで惑わす場合があります。

では、その見分け方はどこにあるのでしょう。これもまた、心が重要になります。**前向きに精進努力をしているときにやってくる発想、ヒラメキは、守護霊の応援によるものです。**とくに努力をして、没我没頭しているときに来るものは、正しい守護霊の導きです。一方、邪霊の作用の場合は、怠けているとき、ダラダラしているとき、欲心にまみれているときに思い浮かぶ発想やヒラメキです。とはいえ、こうした邪霊の誘惑に負けて、間違った方向に進んでしまうのも、結局のところ、根源にマイナスのカルマがあるからです。邪霊は、マイナスのカルマの現実化の媒介をしているにすぎないのです。

守護霊の加護を強化する方法

守護霊とは、スポーツ選手の専属コーチや、受験生の家庭教師のような存在ですから、守護霊という存在を理解し、認識し、心を向けてつながりを深めることで、いっそう強く守護してもらえるようになります。**守護霊の加護をより強く受けるための最善の方法が、お祈りです。**

守護霊に心のなかで話しかけるようにお祈りする習慣をつくることが、守護霊の加護を強く受け取るための最善の方法なのです。

守護霊に何を祈れば良いのかといえば、第一番目が「立志発願」です。立志発願とは、志を立てる、願いを発する、という意味です。自分の自由意志を働かせて、自分の人生に目的、目標を持ち、その成就をお祈りするのです。

お祈りすることで守護霊とコミュニケーションできるようになります。コミュニケーションといっても、**あなたがお祈りしたら、守護霊が即座に返事をしてくれるというものではありません。**もし、そういうことがあれば、それは本当の守護霊ではなく、邪霊があなたを化かしているのです。**守護霊の声が聞こえたりお告げがあったりしないのが正しい状態です。**声は聞こえませんがあなたの祈りは聞かれていますから、その祈りに対して、守護霊からの応援が授かります。

鎌倉時代に書かれた御成敗式目の第一条に「神は人の敬によりてその威を増し、人は神の加護によりて運を添う」という言葉があります。この言葉は神社にもよく掲げられています。「神様は、人間が崇敬をすればするほど、その神威を発揮される。その神様の加護を受けて人は運がよくなる」という意味です。これは、守護霊とのかかわり方にもあてはまる法則です。

まず、わたしたちが崇敬の心を守護霊に向けることが大切です。その方法が祈りなのです。**守護霊に祈るべき第二番目は「感謝」の祈りです。**守られていることを認識し、その加護に感謝を捧げるのです。感謝は、その存在を大きく肯定するプラスの想念ですから、いっそう守護霊とのつながりが強化されていきます。

祈りの第三番目は「問いかけ」です。自分が乗り越えたい壁や、克服したい問題、成就したい願いなどについて、疑問に思うことを、祈りのなかで率直に守護霊に問いかけましょう。問いかけたとしても、守護霊から返事がくることはありませんが、後から必ず、その疑問が解決するような出来事がもたらされ、解決するように導かれます。ふとしたヒラメキで気づきがあったり、書物のなかに答えを見つけたり、人と出会うことで解決の糸口が見出されたりします。

祈りの四番目は「加護を希う」ことです。お守りください、応援してください、導いてくださ い、やり遂げられるようにしてください、意志力を授けてください、勇気を授けてください、忍耐力を授けてください、といった言葉で、守っていただけるように心から祈りましょう。

守護霊への祈りについてわかりやすい例として、受験生の場合で説明しましょう。

医師になることを夢見て、医学部に合格したいという志を立てた受験生がいるとします。彼の学力はまだ低く、良い勉強法も知りません。その場合、次のようにお祈りをします。

「守護霊様、守護霊団の皆様、いつもお守りいただき、ありがとうございます（感謝）。医師になって、病気で苦しんでいる人々を救うことができますように。そのために、医学部に合格することができますようお守りください（立志発願）。合格するためには、どのような勉強のやり方が最善か教えてください（問いかけ）。なにとぞ、毎日、しっかりと受験勉強がやり遂げられるようお守りください（加護を希う）」

もう一つ例をあげましょう。リストラにあって失業し、次の就職先を探している高齢の女性の場合です。

「守護霊様、守護霊団の皆様、いつもお守りいただき、ありがとうございます（感謝）。次の就職先がすみやかに見つかりますように。高齢の女性でも採用してくれる職場とのご縁をどうか結んでください。職場の人間関係も良く、働きやすい職場でありますように。給与も〇〇万円は頂けますように（立志発願）。採用されるためには、どのような求人にまず応募すべきか、教えてください（問いかけ）。採用されるまであきらめず応募を続けますので、なにとぞ、就職活動がやり遂げられるようお守りください（加護を希う）」

このような立志発願を含むお祈りをすることが重要です。こうしたお祈りを日課とし、朝晩おこなうことが基本です。

お祈りというのは一回祈ったら終わりというものではありません。**毎日毎日、何度も何度も祈りを捧げることが真心の表現となり、守護霊に対して誠を捧げていることになります**。神様や高級霊というのは、人の愛と真心に応じて加護を授けるので、いかに愛と真心の祈りを実行するかが、祈りの成就について成否を分けるのです。

このような祈りをはじめても、しばらくは何事もないように見えるかもしれません。しかし、少しずつ変化が起きてきます。先ほどの受験生の例でいえば、友人や知人から医学部に合格するための勉強方法について、教えてもらえる機会が得られたり、あるいは、優秀な家庭教師に出会ったり、自分に合う塾や予備校とご縁ができたりするでしょう。また、毎日お祈りするようになると、守護霊からの応援が常にもたらされるので、精神力がついてきます。次第に意志力が強くなり、集中力がアップして、心身の状態もより良くなり、受験勉強が捗(はかど)るようになっていきます。さらに、ともに学ぶ良き友人と出会ったりして、志が遂げられるような環境が周囲に形成されはじめることでしょう。

また、就職活動している人の例で言えば、毎日祈りながら、採用されるまで、何十件でも何百件でも応募していくという現実的努力が大切になります。そうした努力の上に、守護霊の加護が降りてきて、奇跡的な出会いがあって、良い職場に採用されるのです。お祈りして、一週間や二週間で結果が出るというようなことはまずありません。守護霊が動かれていても、何週間も何ヶ月もかかる場合も多いのです。その間、絶対にあきらめず、守護霊の加護をどこまでも確信して祈り続けることが大切です。理想実現まであきらめてはならないのです。**お祈りをすることで天佑神助を授かるためには、百日祈願、二百日祈願、三百日祈願、あるいは千日祈願をするぐらいの気持ちで取り組まなければなりません。**

そのように、真剣な祈願を重ねつつ、現実的な人としての努力を実行して、神仏にあなたの誠を捧げていくことが大切です。その誠に神仏の感応があり、運命の行き詰まりが打開されて、大逆転が起きるのです。そもそも、今の自分がなんらかの行き詰まりの中にあるとしたら、それはすべて、自分の因果応報の結果です。前世でおこなったことの因果応報の結果であり、今生で生きてきた日々の中で自分がつくり出してきた因果応報の結果です。その意味で、すべては「自分の不徳の致すところ」なのです。

この認識がないと、「こんなに祈っているのにどうして守護霊は願いを叶えてくれないんだ」といった不平不満を思うようになったり、「神様はわたしのことをわかってくれないんだ」と、神仏に文句を言うような気持ちになる人もいます。このような受けとめ方では、神仏の加護を授かることはできません。

すべては自分の不徳の致すところであることを謙虚に受け入れて、加護を希うとき、祈りは、誠のこもった祈りとなり、守護霊に通じるのです。

誰でも前世のカルマの負債があるので、守護霊が動かれていても、一定の苦しみを経なければ、開運には至りません。開運の前には、かならずカルマの負債の返済を先におこなう必要があります。願いがなかなか成就しない期間というのは誰にもありますが、その期間は、カルマの負債を返済しながら、運勢的に身軽になるための浄化の期間なのです。

ですから、**もし、一進一退の中であなたの理想の実現がなかなか進まないときは、「今はカルマの負債を返済している浄化の期間なんだな」と受け止めるべきです。**そして、浄化を早めるためにも本書で説く積善を日々積み重ねて、積善の果報があらわれてくるように努力を重ねることが大切です。守護霊は、あなたの祈りをすべて聞いておられるのです。すぐにでも助けてやりたいと思っておられるのです。しかし、あなたには今生、生まれてきた課題があって、カルマの負債の返済や人生の苦難の学びがあるので、あなたの努力と誠が、ある一定のレベルを超えるのを、守護霊はじっと待っておられるのです。途中であきらめたりせず、最後まで祈り通し、現実的な努力を極めたとき、大いなる天佑神助が必ずやってきます。

ところで、毎日のお祈りはどこですればよいでしょうか。

これは、自分の部屋、家のトイレの個室、お風呂など、静かな空間で祈ることが基本です。手をあわせて目を閉じて、心のなかで語りかけるようにします。誰もいなければ、小さく声に出して祈ると集中できます。

このようなお祈りの習慣がなければ、運命はその人の因果応報の流れのままに展開されるだけです。その場合、前世からの負債が多い人だと、なかなか開運せず、理想実現に時間がかかることになります。しかし、祈りによって守護霊とつながりを深めていれば、そこに天佑神助という新たな要素が加わって、流れが変化しはじめることでしょう。積善をする機会も増えるようになります。**祈りとは、良い原因を生み出して未来をより良く変えていく努力の一つなのです。**

また、生前にお祈りを会得した人とそうでない人には、死後の世界でも大きな差が出ます。あなたが死後、万一地獄界に落ちたとしても、あなたが祈ることをこの世で習慣化していたなら、その場で即座に救いを祈ることができるのです。

「守護霊様、わたしはどうして、地獄に落ちてしまったのでしょうか。どこを改めたら、もっと上の天国界に近い霊層にあがれるのでしょうか。どうか教えてください」と、必死で祈り続ければ、生前に導いていてくれていた守護霊が、あなたの想念や考え方のどこが間違っていたのか、どうすれば上の霊界にあがれるのかを指導してくれます。その導きを受け続けるうちに、いつかは地獄界を脱出することもできるはずです。

地獄界に落ちた霊が、何百年もその地獄にとどまって出てこれない理由は、彼らに「神仏に祈る」心がないからです。生前、神仏の存在を信じず、神仏を敬う人間をあざ笑ったり、人をだましたり、己の欲望のままに生きるなどして、積不善を重ねているために地獄に落ち、死後の世界でも、生きていたときの性質のまま改心ができないので、低い霊層に低迷する状態となるのです。

地獄、あるいは中有霊界の下層に行ってしまうのは、本人の想念が、暗く、冷たく、重たいからであり、同じ波長が引きあう「類は友を呼ぶの法則」によって、その霊層に引っ張られていきます。低い霊格の霊にとっては、低い霊層での暮らしのほうが居心地が良いということです。

たとえば、修羅の地獄界で殺しあう日常をおくる霊たちにとっては、その世界の様相こそが当たり前であり、むしろそれが快適であるということです。考え方や価値観の誤りを自覚する機会がないかぎり、そこから出てくることは難しいでしょう。

もし、あなたが、積善と神仏に祈ることの尊さを知り、毎日の生活のなかで守護霊に祈る習慣をつくりあげたなら、それは明るく、温かく、軽やかな天国の心に近づくということです。そうなれば、今生において、人生好転、理想実現の功徳を受け取ることができるだけでなく、死後の世界においても、より良い霊層へどんどんあがっていく手段を得たに等しいのです。

ですから、お祈りにおける立志発願には、例に挙げたような、受験合格や就職祈願に代表されるこの世の具体的な目的、目標の成就だけでなく、生涯をかけて祈り続けることができるような、抽象的な目標もあったほうがよいでしょう。

たとえば、袁了凡は積善を実践するとき、観音様に立志発願の祈りを捧げています。どのように願っていたかというと、「三千功の積善が達成できますように」「一万功の積善が達成できますように」と、積善の達成を人生の目標として祈っていたのです。

わたしたちも袁了凡に倣(なら)い、**積善の達成を守護霊に立志発願すれば、終生祈り続けることができるでしょう。この世に命があるかぎり積善はできます。**道のゴミを拾うことも積善ですし、家族や友人に温かい言葉をかけて勇気づけるのも積善です。命が終わるまで、積善を重ねる生き方をしていきましょう。

また、人間は魂を磨いて向上するためにこの世に生まれてきていますから、魂の向上について祈ることも積善です。毎日の祈りの際には、具体的な目標達成の祈りの前に、「**今日も一日、魂を磨いて向上することができますように。今日も一日善徳を積んで、世のため人のために尽くせますように**」という、崇高な立志発願を祈ることをおすすめします。毎日このように祈るなら、守護霊団の加護はいっそう強固なものとなるでしょう。

守護霊にさらに強力に応援してもらう方法

守護霊との距離をより近づけるためには、こまめにお祈りする習慣をつけることのほかに、もう一つ重要なことがあります。それは、意識を拡大し、自分という小さな世界から飛び出して、国や世界のことに目を向けていくことです。

まずは、自分自身の人格の修養からはじめて、家族を幸せにし、職場や地域の人々を幸せにし、そして、わたしたちの祖国日本をすばらしい国にして、その伝統的美風を守り、国民が幸せになるように尽くす生き方をすることです。**祖国をすばらしい国にして、後に続く子孫に受け継いでもらうことが、日本に生まれてきたわたしたちの責務です**。世界の平和を祈るにしても、自らの足元がおろそかであるようではいけません。あくまでも「日本を中心とする世界の平和」を祈ることが大切です。そうすることで守護霊の加護もより大きく出てくるようになります。なぜなら、守護霊や守護霊団のメンバーになるようなご先祖はすべて、学問を修め、地域や国の人々の幸せのために、大きな尺度で活動していた方々だからです。つまり、高い見識と愛国心があった方々なのです。**わたしたちが守護霊の境地まで近づいていくには、同じように意識を拡大し、愛国心をもって、祖国をすばらしくしていくことを考えなくてはなりません。**このように心がければ、あなたの心の境地は、守護霊のいる霊層に近づきますから、いっそう強く守られ、導かれるようになるでしょう。

四書五経のひとつ『大学』の中に「修身斉家治国平天下（しゅうしんせいかちこくへいてんか）」という教えがあります。まず自分のおこないを正しくし（修身）、次に家庭をととのえ（斉家）、次に国家を治め（治国）、そして天下の平和を目指す（平天下）という意味です。愛国心を持って、自分の祖国をより良くしようと尽力することは、すばらしい積善であると同時に、守護霊の境地に近づき、より強い加護を受けられるようになる秘訣なのです。

国をより良くするには、いろいろな方法があります。自分の職業を通じて世の中のために役立つ働きをすることもできますし、政治に何らかの影響を与える活動もできるかもしれません。政治家にならずとも、選挙に行って、日本の尊厳と国益を考える人材を応援することも大きな積善です。

　また、お祈りは完了形でおこなったほうが良いとの説もありますが、これは正しくありません。先ほどの受験生の例でいうと、完了形なら「合格できました」と祈ることになってしまいます。まだ合格していないのに、このように祈るなら、会話として不自然であることは明らかです。**祈りは「人格を持った守護霊様との対話」ですから、通常の会話とルールは同じです。**

　ふだんの生活の中で、目上の人に礼節をもって語りかけるのと同様に、現在形や現在進行形で「合格できますようにお守りください」あるいは「合格できるようお守りいただきましてありがとうございます」と、「守護霊様に話しかける」ようにしましょう。お祈りは「守護霊様との対話」ですから、対話として不自然になるのは避けましょう。お祈りとイメージングは別であると考えてください。合格したのだという成功イメージを思い描くことは良いことですが、それはお祈りとは別におこなうべきことです。

2．想念の法則と邪霊について

引き寄せの法則の危険な落とし穴

「引き寄せの法則」とは、自分が強くイメージすることで、実現を確信する事柄が現実化するというものです。想念は形にあらわれるとか、心のエネルギーは現象化するとか、いろいろな表現がありますが、要するに、心に形成された想念が、現実を引き寄せるということです。心のなかに形成された想念が原因であり、現実化が結果ですから、原因と結果の法則です。「引き寄せの法則」と「因果応報の法則」は、魂の働きの側面をそれぞれ違う角度から説明しているのです。

そして、何かの願望が叶うという想念によって、**幸運が棚ぼた式に引き寄せられる場合、それは前世からの積善の貯蓄をおろしたにすぎません。**

たとえば、宝くじに当選して一億円を手にするのは、前世に一億円に相当するだけの積善を積んでいる人なのです。

積善によって生まれるプラスのカルマのエネルギーのことを徳分ともいいます。徳分という積善の貯蓄がまったくなければ、宝くじで大金を得ることはできません。同じように、**一攫千金のマネーゲームの類（仮想通貨、FX、投機的な株など）で大金を得る人は、すべて前世からの徳分をお金に換えただけなのです。**

生まれながらに持っている徳分以上のものを、今生での積善の努力なしに得ることは不可能なのです。そして、持っている徳分は、一攫千金のお金となって現実化した時点で消費されたことになります。徳分が急激に減れば、それだけ幸運力も減少しますから、宝くじに当選してから運勢が急落する人がいるのです。

この仕組みが理解できれば、「**引き寄せの法則で三千万円の宝くじに当選しよう**」**と考えることは、徳分を失う危険な道である**とわかるはずです。この世で精進努力を重ね、積善を重ねた結果として、富や豊かさを得ることには何の問題もありません。しかし、何の努力もなく大金を手にするのは、実は恐ろしいことなのです。

世の多くの業種は実業です。実業とは、物やサービスや価値を提供して、人に益する働きをした報酬としてお金を得る仕事です。実業には必ずそこに積善の要素が含まれます。**受け取る報酬以上に他者を幸せにするならば、お金として受け取らなかった部分はすべて積善となります。**実業を誠実におこなうだけで積善ができるわけです。

では、虚業といわれるマネーゲームはどうでしょうか。虚業は、人にモノやサービスをもたらすことはありません。そして、「投機的な堅実でない事業、大衆をだますうさんくさい事業」とされることもあります。**虚業には、積善の要素、利他の要素がまったく存在しない**のです。このような方法で安易にお金を操作していると、自分の前世からの徳分を無計画に引き出して使い尽くす危険さえあります。

本来の人生の計画を逸脱して徳分を人為的に消耗するような生き方をしている場合、徳分の残量がある一定のレベル以下になると、予定よりも早く寿命を終えることがあります。その場合、病気や事故で突然命を失う形で、あの世に召還されることもあります。そして、次に生まれ変わったときには、持ち越した徳分が少ないために、貧困だったり、なかなか運が開かない厳しい境遇からやり直すことになることでしょう。「引き寄せの法則」を中途半端に知った人は、しばしば安易な一攫千金を求めてしまいがちですが、そのような考え方では、ほんとうに幸せになることはできません。

親の遺産として大金を手にする場合も同じです。巨額の遺産を残してくれるような親の子供になぜ自分が生まれついたのか、それは、前世でそれ相応の積善をしていたからです。親の遺産を受け取るのも、前世での積善の果報です。宝くじに当選したり、株や仮想通貨やFXで一攫千金したりするのも、すべて前世での積善の果報を使っているのであって、それは、かぎりある徳分の蓄えを消費してお金を手に入れているだけなのです。

「引き寄せの法則」を本当に活用したいのであれば、まず積善を志すことです。積善の実践を土台として、そのうえで立志発願をし、目標や願いの実現を目指していきましょう。神仏の加護を祈り、現実的な努力を重ねていけば、弊害なく、良きものが引き寄せられてくるでしょう。

積善の土台のないところに、無限の富も、無限の幸福もありえません。「引き寄せの法則」信奉者には、この部分が欠けています。自分が幸せになりたければ、人を幸せにするために行動しましょう。利他の道の実践がないまま何かを念じていても、けっして幸せにはなれません。引き寄せだけ頑張っても、なかなか願いが叶わない最大の原因がこれです。

もし、積善のないまま、安易に願いが叶うような出来事があったら、その分だけ前世からの徳分の貯金をおろしたのです。そのようなことがあった場合には、失った徳分を積善によって補うため、いっそう利他の善行を心がけなくてはならないでしょう。そうすれば、幸運を持続させることができます。

ここでもう一つ大事なことは、**自分が引き寄せているように思えても、実際には、目に見えない世界で守護霊の加護があったり、神仏の加護があって、守られているから願いが叶っているのだ**ということです。自分の積善の善徳があるうえでのことですが、実際にそれを幸せとして結実させてくれているのは、守護霊団の導きと加護によるところが大きいのです。

引き寄せ信奉者はそのことを知らず、「おれが引き寄せたんだ」「わたしが引き寄せたのよ」と、自分の手柄にしてしまいがちです。「自分が何でも引き寄せているんだ」とだけ考えていると、想念が傲慢になります。天狗の鼻が伸びて、偉そうになっていきます。

この世で何を成すにしても、自分一人の力だけで物事が成就することはありません。周囲の人々の協力や支援、手助けがあってこそ、物事が成就しているのです。たとえば受験生は、自分が努力して勉強したから合格したと考えるでしょうが、実際はけっしてそれだけの要因ではないはずです。家族の協力や支援、教師や塾の先生の助けなど、さまざまな人々のお世話になって合格しているのです。目に見えるところですらそうなのです。目に見えない世界では、守護霊団が守ってくださり、立志発願が成就するように導いてくださっています。そのことに感謝の思いを持たねばなりません。そうすれば、傲慢になることはないでしょう。

引き寄せ信奉者はそれができず、次第に慢心していきます。「何でもおれが引き寄せるんだ」と、傲慢になります。すると、周囲の人間は離れていきます。守護霊団の加護も止まってしまいます。**神様も守護霊様も、感謝のない傲慢な人間には決して手助けしてくれることはありません。**

そうなると、結局は物事がうまくいかなくなって、行き詰まってしまいます。いつしか、どれだけ引き寄せようと頑張っても、うんともすんとも物事が動かなくなってしまうでしょう。

慢心している人間に対しては、守護霊は、加護の手を退いて、ただ傍観しているだけです。また、努力をせず、怠りの状態にあると、守護霊はいっさい動いてくれません。本人の努力のうえに守護霊の応援が授かるのが約束です。

このほか、自分本位で慈愛がなく、我欲ばかりの人間も守護霊は応援できないのです。このような悪想念の落とし穴にはまり込むことのないようにしましょう。

邪霊の災いから身を守る方法について

「引き寄せの法則」の信奉者によく見られるもう一つの間違いは、悪いものやリスクについて、見ないようにして避けるというものです。たとえば、邪霊について話題にすると「邪霊を意識するから、邪霊を引き寄せてしまう。邪霊のことを考えるから、そういうものが引き寄せられるのだ」という反応をする人がいますが、本当にそうでしょうか。

孫子の兵法のなかに「彼を知り己を知れば百戦あやうからず」という教えがあります。敵について知ることの重要性を説いた部分です。人生もひとつの戦い（チャレンジ）と考えれば、わたしたちに害をなす霊的存在について、一定の知識と対策を持っていることは、身を守るために必要なことなのです。

たとえば、医学の話で考えてみましょう。意識すると引き寄せられるからといって、新型コロナウイルスやエイズウイルスなどの感染性の病原体について、一切考えず、無防備にしていたらどうなるでしょうか。そんなことでは、感染を予防することはできません。病気を予防するためには、病気についての一定の知識が必要です。病気に対する基本的な知識があってはじめて、病気から身を守ることができるのです。**「病気のことを考えなければ病気にはならない」などというのは、あまりにも愚かな迷信的思考ということになるのと同様、「邪霊のことを考えなければ、邪霊など来ない」という発想は、現実を無視した姿勢です。**

会社経営で考えてみましょう。悪いことを考えると引き寄せるから考えないようにしようなどといって、リスクについて考えることをしなければ、いずれ会社は潰れてしまうでしょう。会社を潰さないためにも、さまざまなリスクを考慮して、その対策をあらかじめ立てるリスクマネジメントが不可欠です。

人生においても、多様な可能性をすべて検討し、それぞれに対策を立てて準備しておかねばなりません。そこまで、あらんかぎりの努力をしたうえで「わたしは守られているから、きっとうまくいく」と確信するのが、正しい「引き寄せの法則」活用法です。思考停止は怠りの道なのです。

邪霊について知っておかなければならないのは以上のような理由からです。正しい知識を得てこそ、邪霊のもたらす災いから完全な防御ができるということです。霊界には多種多様な霊がいて、それらの霊には正邪があります。邪霊から身を守るための最低限の知識が必要なのです。

霊の影響は、人の想念にあらわれます。守護霊に守られる生き方をしている人は、守護霊の影響を受けて、天国界の想念に近づきます。すなわち、明るく、前向きで、発展的で、神仏や他者に感謝し、温かい慈愛があって人を許し、物事に誠実に取り組んで精進努力をする人間性が育っていきます。良いヒラメキが増え、運も良くなるでしょう。

これに対して、邪霊の影響を受けるとどうなるでしょうか。

たとえば、自殺者の霊がそばに来れば自殺したくなります。想念が暗く、後ろ向きになり、やる気が失せて、人生なんかどうでもよくなっていきます。死後、あの世へ移行できず、この世に執着を残してとどまる霊のうち、特定の場に縛られているのが地縛霊で、ふらふらとさまよっているのが浮遊霊ですが、このような霊がそばに来れば、それに引きずられて、想念は、暗く、冷たく、重たいものになります。

また、こうした死者の霊のほかにも注意すべきものとして、生霊（いきりょう）があります。生霊とは、生きている人間が発する強い想念のエネルギーのことです。強い恨み、妬み、憎しみなどの悪想念を特定の人に向け続けると、その想念のエネルギーが塊となって相手に飛んでいきます。これが生霊です。

生霊は、人間の手首や腰や肩や頭などに、がぶりと食いつきます。肉体ではなく、霊体のその部位に食いつくのです。生霊につかれると、肉体に原因不明の痛みが生じる場合があります。生命力を奪っていきますから、癌を引き起こしたりもします。生霊がつくと、想念が暗くなり、やる気がなくなります。うつ状態になる場合もあります。お祈りの習慣があったのに、祈る気が起きなくなったりするでしょう。

肉体の病気は、生活習慣や遺伝子やウイルス感染などの物理的な要因によって発生しますが、これらの物理的な要因の背景に存在するのが、目に見えない世界にある霊的原因です。**目に見えない世界に原因があって、それが現実界に影響を及ぼし、人の想念や行動を左右し、病気の発生につながっていくのです。**病気を改善させるには、物質界と霊界の双方の角度からのアプローチが必要です。

邪霊にはこのほかにも、代々、家を祟っている怨念霊という存在もあります。先祖が悪事をして誰かを殺したり、あるいは昔の戦で敵を殺したりした場合に、殺された霊が「この恨み晴らさでおくべきか。子々孫々まで呪ってやる」という怨念のカタマリとなって、霊界から子孫に恨みの念を送り続けてくるものです。この種の邪霊は、事故や大病など大きな災難を起こして復讐しようとします。そのほか、地獄界に落ちている先祖による悪影響もあります。先祖の悪影響は主に、性格の歪みを助長します。

これらの邪霊の影響は、わたしたちの運を悪くし、不幸を呼び込む作用です。しかし、ここまで述べてきたとおり、**この世で受け取るすべての不運や災難の根源には、自分自身の前世の積不善によって積まれたマイナスのカルマのエネルギーがあります。**この負債があるために、あがないの苦しみが生じているのです。マイナスのカルマがこの世で現実化するとき、その現実化を媒介しているのが、これらの邪霊の働きです。

邪霊はマイナスのカルマの現実化を媒介し、反対に守護霊はプラスのカルマの現実化を媒介していることになります。

邪霊は、まず想念に悪影響を与え、その結果である行動を歪ませて不運に導きます。この作用を理解していれば、邪霊の害から身を守ることができます。自分の想念がいつも明るく、軽く、温かいものであるかどうか。いつもやる気に満ちて前向きに努力する生き方になっているかどうか。これらを自分でいつもチェックする心がけを持てば、邪霊の悪影響を見破って、身を守ることができるのです。

想念が暗くなり、怒りや恨みや憎しみにとらわれているときは、何らかの邪霊の悪影響を受けている可能性が考えられます。悪想念が浮かんだときは要注意です。「あ、いま、悪想念が浮かんでいる！」と見破って、想念をマイナスからプラスに切り替えていかねばなりません。そのための最善の方法は、守護霊とのつながりを取り戻すこと、すなわちお祈りです。日々のなかで知らず知らずのうちに生じる悪想念を浄化するためにも、毎日のお祈りを欠かさないようにしましょう。

『菜根譚』という古典のなかに次のような言葉があります。

「念頭(ねんとう)起こるところ（中略）一たび起こらば便(すなわ)ち覚(さと)り、一たび覚らば便ち転(てん)ず。これは是(これ)、禍(わざわい)を転じて福となし、起死回生の関頭(かんとう)なり」

これは、「想念が生じたら、それが悪想念かどうか瞬時に判断し、悪想念ならばすみやかに良き想念に転換しなさい。悪想念というものは、ひとたびそれが浮かんだら、そのときすぐにさとって、良い想念に転じていくものだ。これを心がければ、災いを転じて福となすことができる。ふと浮かぶ想念をそのままにしていてはいけない」ということです。

あなたが自由意志を発揮して想念を転換すれば、低次元の波長と同調しなくなりますから、邪霊は悪影響を及ぼすことができません。守護霊の強い加護としっかりつながれば、その霊威によって、邪霊の悪影響は少しずつなくなっていくことでしょう。

とくに気をつけなければならないのは生霊です。生きていくうえで、人と関わることは避けられませんから、対人関係での葛藤やトラブルはゼロというわけにはいきません。不用意に誰かに恨まれたり、妬まれたりしないようにする気配りは必要ですが、自分の自由意志と尊厳を守ることも大事です。自分を守るために相手の要求を拒絶したり、相手の意に反する対応をせざるを得ないこともあります。その結果、逆恨みされて生霊を送られてしまうこともあるでしょう。

生霊のなかでも、恋愛に関連する生霊は、とりわけ強い悪影響があります。男女が別れるとき、そこに生霊はつきものです。相手への怒り、執着、恋慕などの強い想いは、強烈な生霊を生み出します。異性との交際には、よくよく注意しなくてはいけません。恋人や配偶者と別れる際にもめたことのある人には、相手の生霊がついています。恋愛の生霊は、うつ状態を起こしたり、死にたくなったり、イライラしたり、情緒不安定になったりする悪影響があります。

また、乳癌や子宮癌、喉の癌、流産や不妊などの霊的原因になったりもします。

生霊は、これを浄化する方法を知らないままだと、死ぬまでついた状態となります。年齢を重ねるほどに蓄積していくため、多くの人が、晩年に生霊の悪影響で病気になるのです。生霊は生きている人間からのエネルギーなので、影響が強く、想念の転換の努力だけでは完全には浄化できません。

また、自分自身が誰かに対して、強く憤ることで生霊を送ってしまうこともあります。生霊を出すと、相手を霊的に攻撃して苦しめる積不善となり、マイナスのカルマを生み出してしまいます。「人を呪わば穴二つ」という言葉があるとおり、生霊を出した本人も運が下降し、守護霊の加護を十分に受け取れなくなります。自分の生み出した邪念は、自分にも不幸をもたらすのです。

このような事態にならないために、因果応報の法則を深く理解し、「罪を憎んで人を憎まず」の精神を持ちましょう。

邪霊は、どんな種類のものであっても想念に悪影響を与えますから、お祈りもできなくなりますし、積善をする気持ちも失せてしまいます。開運するための努力が続かなくなるのです。

しかも、**あらゆる邪霊は、「見てみぬふり」をして放置したとしても、悪影響が消えることはありません。**むしろ、自覚のないまま放置していると、後ろからスナイパーに狙撃されるような形で思わぬ災難にあって苦しむことになりかねません。

繰り返しになりますが、**すべての災難の根源には、自分の前世を含めた過去からの積不善の因果応報の力が働いています。邪霊はその現実化の出口の部分で媒介しているにすぎません。**しかし、この媒介の部分を浄化していくことで、激烈な形で不運不幸が噴出する事態を回避することができます。邪霊の存在を無視したまま開運して幸せになることは難しいでしょう。ですから、守護霊への祈りによって加護を強化し、身を守る必要があります。

さらに、それ以上に強力な浄化法が、第四章でお伝えする「推奨神社」活用法です。

積善だけを目指すのではなく、自分の足をひっぱるマイナスの霊的影響にも気を配り、できるかぎりそれを排除していくことで、よりスムーズに積善をすることができるようになります。そして、それは結局、マイナスの想念が出てこない開運体質になることにもつながります。良き引き寄せが自然とできるようになるだけでなく、自分の霊層を高めていくことにもつながります。

マイナスの想念はマイナス霊（邪霊）の影響であり、プラスの想念はプラス霊（守護霊）の影響ですから、自然にふと浮かんでくるマイナスの想念に注意を払い、意識的にプラスの想念を生み出して、上書きしていきましょう。**浮かんでくる想念に気を配り、悪想念を抱いたままにならないように心がければ、邪霊による災いを最小限に抑えることができます。**

とはいえ、良い想念を浮かべる努力をどれだけしていても、自分の周りに悪想念ばかり浮かべる人が多いと、無意識に影響を受けてしまいます。怠け者、ずるい人、言葉がきつく攻撃的な人、ネガティブ思考ばかりする人などが近くにいると、マイナスの方に足を引っ張られてしまいます。

悪想念が多い人とは、それだけ邪霊の悪影響を受けている人だといえますから、つまり、運が悪い人々です。できるかぎりネガティブな人とは距離をおいて、明るく前向きで、感謝の心があるポジティブな人を周囲に増やしましょう。明るくて運の良い人と付きあえば、あなたもその良き影響を受けることができます。

自分自身がネガティブ思考が強く、物事を否定的にとらえることが多い傾向があるなら、邪霊の悪影響をすでに強く受けていると考えて間違いありません。

気分が沈む、うつ状態、やる気が出ない、頑張れない、根気が続かない、等の状態にある場合は、まずは肉体の側に原因がないかどうか、医学的に検査しましょう。医学的な方法で解決できるなら、その方策を講じていくのが第一です。**しかし、医学的な対策を講じても改善しない場合、根源にある邪霊の悪影響を除去するための努力もあわせておこなう必要があります。**そのために、守護霊の加護を強化し、第四章で説く「推奨神社」活用法によって、自分自身の霊体を浄化していくことをおすすめします。
巷にあふれる占い師や霊能者、スピリチュアルカウンセラーなどに頼ったり、つながりを持つことも、邪霊の災いを受けやすくなるので注意が必要です。

3. 霊能者・占い師・お告げの危険性

自由意志の重要性

人間にとって、もっとも大切なものは「自由意志」です。**自由意志こそが、人間のなかにある神様です。だからこそ、意志を働かせて、思い、言葉、行動を生み出すと、そこに因果応報の法則が働いて結果が返ってくるのです。**善因善果、悪因悪果の作用は、人間のなかに神の分魂があるから生じます。

この世に生まれてきたら、自由意志を発揮して、自分の人生を自分で創造していくことが大切です。自分で選択し、自分で行動をすることで失敗することもあるでしょう。失敗から学ぶことで魂は向上します。進歩向上の土台は失敗をすることにあります。失敗し、試行錯誤することで、経験値を高め、魂を磨いていくのです。

ところが、霊能者や霊媒師、チャネリング、リーディング、お告げなどのオカルト現象に依存する人は、自由意志を発揮することよりも、手っ取り早く正解を知って、楽をして成功したいという心が根底にあります。ゆえに、霊能者や占い師の言葉をうのみにして、そのお告げの言いなりになってしまうのです。

神仏や守護霊といった存在は、お告げやメッセージで人を支配することをもっとも嫌います。それは人の自由意志を損ない、魂の正しい進歩発展の道を阻害することになるからです。ですから、よほどの事情がある場合を除いて、神仏や守護霊がわたしたちにお告げしてきたり、自動書記やチャネリングでメッセージを伝えたり、というような現象は起こり得ないのです。

たとえば、「毎日、天使からメッセージが届きます」などと言って、その内容をブログに書き続けるような人が、本物の天使とつながっていることはありえないことです。その人は天使どころか、狐狸妖怪の類に化かされているのです。

前世療法でも、本人が選択して決めるべき問題を、魂のガイドである守護霊にあえて問いかけてみても「それを決めるのはあなた自身だ」と返答されて終わりです。返事が返ってこないこともあります。自分の人生を、自分以外の誰かの指示で左右することは、自分の魂の尊厳を傷つける行為です。

人生は、試行錯誤して、前世からの因果応報を受けて、苦しんだり、悩んだりしながら、ひとつひとつ経験を積んで、学び、成長し、魂を磨いていくためにあります。積善の果報で喜ぶこともあれば、積不善の報いで苦悩もふりかかるでしょう。そのすべてが貴重な学びの機会であり、魂が磨かれていくようになっているのです。

占いに依存したり、霊能者やサイキックに依存して、自分の進むべき道を他人に決めさせるということは、魂を磨くために生まれてきた人生の本義から大きく外れる生き方です。正道から外れた邪道において、その陰で働いている霊的な存在とは邪霊なのです。

もし、毎日のように霊のメッセージが聞こえてきたり、ほかの人には聞こえない不思議な声が自分だけに聞こえるという人がいて、その状態を医師に相談するなら、医学的には、幻覚妄想状態とか、統合失調症様障害とか、統合失調症などの疑いがあるとアドバイスされるかもしれません。この状態を霊的に分析すると、邪霊が憑依してそのような幻覚を見せたり、聴かせたりしているのです。このような幻覚を起こす邪霊のなかでいちばん多い存在が「ハグレ眷属」の稲荷です。

ハグレ眷属の実態

ここで、ハグレ眷属について説明しておきます。ハグレ眷属とは、神様のお使いであった神の眷属が、本来の主の元を離れ、野生化してしまったような存在です。神様というのは、後述する推奨神社に鎮座する神社のご祭神様のことです。これらのご祭神様は、守護霊と同じで元は人間です。守護霊よりもはるかな古代に生きておられた方々であり、数千年から数万年前に肉体を持って生きていた存在です。

有史以前の太古の時代に、神に近いレベルまで進化できた聖賢たちが存在しました。彼らは部族の長として民を率いて、教え導き、人類の進化に貢献しました。彼らが亡くなると民衆はその偉業を尊び、足跡を偲んで、聖地に亡骸（なきがら）を埋め、礼拝するための場としたのです。聖賢たちは、民の信仰に応える形で、亡骸を依り代（よりしろ）として、神界（天国界よりもさらに上の世界）と地上を往来して地に神威を顕現し、民を守護しました。

やがて、聖地の由来について人々の言い伝えが変遷してしまうほどの時間が経過しました。それでも、人々はその地に祭祀する神様への信仰を持ち続けました。それに応えて、ご祭神様は、地域や国を守り、より良い方向に導いてこられたのです。

さらに時代がくだると、その聖地に神社が建立されるようになりました。そこに、神道の『古事記』や『日本書紀』などの聖典にもとづいて、神社のご祭神名が割り振られ、社伝が形成され、伝承されて今日に至ります。

ご祭神様は、血脈がつながる子孫を個別に守り導く守護霊とは違い、担当する地域に住む人々を広く守護されています。その働き方は基本的には守護霊と同じで、わたしたち人間が、正しい心で、愛と真心にもとづいて立志発願し、理想の実現のために一生懸命に精進努力をしているとき、はじめて動かれます。そして、その人の幸せを阻害している邪霊を祓って駆逐したり、人体に憑依している霊を救済して霊界に戻したりして、わたしたちの霊的浄化を促進してくださるのです。**邪霊を駆逐する働き（霊の救済）は、推奨神社のご祭神様独自の権能です。**

推奨神社のご祭神様が、どうして一度に何千人、何万人もの人間を守り導くことができるのか。それは、数千～数万ものご眷属を従えているからです。**ご眷属とは、神様のお使いとして働く精霊であり、そのお姿は、龍神、天狗、蛇神（だしん）など様々です。**これらはもともと自然霊であり、年月を経た古い樹木の木霊であったり、湧水地や湖沼や井戸などの大切にされてきた水源に発生する水霊であったりします。これら自然霊は、龍の姿をしていたり、天狗や蛇など、霊的な生き物の姿をしています。

ご祭神様は、これらの自然霊を召喚して、眷属として召し抱えています。それらを使役して人々の救済に当たられるのです。これら眷属霊はそれぞれに特徴的な働きを有しており、人に金運を授けたり、病気を治したり、邪霊を駆逐したり、人間関係を調えたりする力を持っています。とくに、ご祭神様から悟りの宝珠を授かっている高位の龍神は、仏様に化身して迷える霊を救済したり、ご祭神様の命を受けて特定の人の守護霊団に加わって助力したりと、多様な役割を担い、ご祭神様の活動を支えているのです。前世療法のなかでも、こうした龍神が守護霊とともに姿をあらわすことがあり、神霊世界の実相がしだいに明らかになってきたのです。

　では、どうして、その眷属が主の元から逸（ハグ）れて、ハグレ眷属化してしまうのか。それは、主に人間側に責任があります。神社というのは清浄に保たれて、人々の純粋な崇敬心によって支えられることで神域が保たれています。しかし、それらの条件が狂いだすと、たちまち神域は荒廃し、邪霊がはびこるようになります。

　荒廃が過剰に進むと、ご祭神様は居心地が悪くなり、まだ清浄さを維持している神社や、深山幽谷へと引っ越していかれるのです。ほとんどの眷属は主祭神に従って引っ越していきますが、その際、一部の眷属が取り残され、ハグレ眷属化していくのです。

　ハグレ眷属となると、独自の活動をするようになります。神仏のルールに縛られなくなり、人間界に勝手な干渉をするようになっていくのです。その干渉のなかでももっとも災いが大きいのが、人間に霊能力を与えて支配下に置くことです。

彼らは霊的寄生体として、人間にとりついて活動します。**ハグレ眷属に憑依されると、霊視、未来視、霊言、霊聴、自動書記、お告げなどのオカルト現象が起こるようになります。**とりつかれた人間は、いわゆる霊能者、霊媒者、拝み屋さんなどと呼ばれる存在になります。今風にいうと、スピリチュアルヒーラーやサイキックということになるでしょう。神託や、お告げ、メッセージを告げることで商売するようになるケースも多く見られます。

こうして、良くない存在に依存してしまうと、人間は自由意志を発揮することから離れ、常にお告げやメッセージの命じることに従う生き方をするようになります。守護霊が、宇宙創造主の神の経綸にそって活動し、守護霊を管轄する神様の統率のもと、人間の魂の進歩向上や人類社会の発展と調和のために動かれているのに対して、**ハグレ眷属は、病気治しや当てものなどで人々を驚かせ、心服させて、その崇敬の念を吸い取って巨大化し、自分たちの勢力の拡大をもくろんでいるのです。**

数あるハグレ眷属のなかでもっとも有害なのが、ハグレ眷属の稲荷(いなり)です。これとかかわると、霊視能力や未来予知、過去を当てるなどの能力が出やすくなりますが、その反面、霊的に障害を受けるので性格が歪みます。嘘つきになり、ずるがしこいエゴイストの面が助長され、冷淡で、弱い者をいじめるような性質になります。また、このような性格変化が目立たない代わりに、メンタルの病気を発症することも多くあります。うつ状態、躁うつ病、幻覚、幻聴、統合失調症、パニック、不安といったメンタルの不調は、その霊的背景に、必ずといっていいほどハグレ眷属の稲荷が絡んでいます。

霊界のことはまだまだ奥深く、ここにすべてを書き切れませんが、くれぐれも、霊能者、行者、霊媒師、占い師、サイキック、スピリチュアルヒーラー、遠隔気功といった類のものとは、かかわりを持たないようにしましょう。このようなものはすべて、正しい神仏とは無関係の邪霊の仕業であり、それらを用いることにどんなメリットがあったとしても、それをはるかに上回るデメリットが、報いとして確実にめぐってきます。死後の世界で幸せになれないだけでなく、来世にも悪影響を残してしまうことになります。

最近は、龍神ブームともいうべき現象があり、龍神がついているとか、龍神に教えてもらったとか、龍神に守られて金運アップといったスピリチュアル情報が巷にあふれています。これは非常に危険です。ここまで解説したとおり、龍神とは神様のご眷属であり、神様の命によって動いている存在です。けっして神様ではありませんし、正しい神様の統率の元にある龍神は世を惑わすようなことは絶対にしません。主祭神の命により密かに人々を守るのが本来のご眷属としてのあり方です。

主祭神の元から逃げ出したハグレ眷属

（これらは霊界の生物であり、現実界の生物とは別物）

人間界に干渉して、不思議な出来事を起こして人心を惑わす龍神は、ハグレ眷属なのです。ハグレ眷属となった龍神の影響を受けると、人格が歪んでいきます。前述したように、ハグレ眷属となった稲荷の影響を受けた場合は、冷淡になり、嘘つきになり、情緒不安定になりますが、龍神の場合は、性格が傲慢になります。また、権力欲が非常に強くなる傾向があります。それが異性関係にまで出てきて、複数の異性を従えてその心をもてあそぶような、道に外れた行動をするようになることもあります。

ですから、一時的に金運に恵まれたり、社会的にのし上がっても、やがては信頼を失い、人望を失い、破滅していくことになります。正しい神様の導きを受けて成功するやり方ではないので、最終的には不幸に陥って終わるのです。

正しい神様の統率のもとに動いている龍神ならば、人間に直接かかわったり、お告げや霊告のような形で日常的にあれこれ人間に指図をしたり、干渉したりはしないのです。神様のお許しもなく勝手に金運を与えたりラッキーな出来事を起こしたりすることもありません。ハグレ眷属は、しばしば人間の行動を束縛し、あれをしてはいけない、これをしてはいけない、と指図をしたがる傾向があります。そのような活動は本来、許されていないことです。あくまでも主祭神様の命により、神様がお許しになった分だけ人々を救済することが、正しい神の眷属の役割です。

主祭神の許しがないのに、勝手に人間界に干渉することは禁忌です。その禁忌を犯して人間界に干渉して、人間が魂を磨いて修業するのを邪魔し、自分たちの勢力を広げようとしているのが、このようなハグレ眷属なのです。

世間を騒がす新興宗教、カルト宗教、スピリチュアルなどのほとんどは、ハグレ眷属が背後にいます。ハグレ眷属は化身しますから、あるものは天照大御神に化け、あるものは宇宙意識や天使を騙り、あるものはインドの聖者の霊であると称し、人心を惑わします。しかし、その正体は、神様の統率から脱落し、主祭神の元から逃げた狐や蛇や龍神や天狗などの自然霊なのです。霊能者の語る動画の映像や、本やブログの文字の調べからでも、この種の邪気邪霊は感染します。もっとも多いのはハグレ眷属の稲荷で、スピリチュアル系ブログなどを熱心に読んでいると、文字の調べを介して稲荷狐の邪気が飛んできて、知らず知らずのうちに感染してしまいます。小さなキツネが頭のてっぺんにのっかったような状態になるのです。すると、猜疑(さいぎ)心(しん)、疑心暗鬼(ぎしんあんき)、相互不信といった悪想念が生じやすくなり、神様にお祈りしようという気持ちが失せていきます。**邪霊は想念を操って正しい神様とのつながりを破壊し、人生を歪めようとするのです。**スピリチュアル系ブログというのは危険なものなのだということを知っておいてください。

ハグレ眷属は、一見、正しい教えを述べますから、霊界について無知な人はコロッとだまされます。また、一時的に「おかげ」を与えたり、ラッキーなことを起こして、相手を信じ込ませるのです。しかし、一時的な幸運を得たとしても、長期的な目線で見れば、けっして本当の意味では幸せになれないでしょう。何かスピリチュアルなことを信じはじめて、五年経っても十年経っても、自分自身の内面世界が改革されず、仕事の問題や家庭の問題などがいっこうに改善せず、人生も低迷しているばかりであれば、まず間違いなくその集団の背後にハグレ眷属がいます。

この種のカルトの特徴として、イージーな方法で開運できると称する傾向があります。心のブロックを瞬間に外すと称したり、悟りの境地を瞬間に他者に移植すると称したり、カルマを瞬時に消滅させるというような、即物的な願望成就をうたうきらいがあります。なかには、誰でも手のひらから神の波動や気が出てくるというようなものもあります。あるいは線香三本で先祖供養ができると称するものもあります。

この世で具体的な精進努力をすることなく、魂が進化したり、悟りの境地がレベルアップすることはありえません。また、手を当てたり、手をつないだり、瞑想したり、滝行したり、断食したりといった方法で、魂が進歩向上することもありません。この世の積善と研鑽による、当たり前の努力によってのみ、この世の修業は達成されるのです。先祖や死者の霊の救済にしても同じで、線香三本でできるわけはなく、第四章で解説するように正しいご神霊を至誠の祈りで動かすことによってのみ可能なことなのです。

こうしたことは、霊界知識を勉強し、先賢の残した書物や古典に学ぶだけでも十分にわかることなのですが、そういった知識のない人は、イージーな悟りやイージーな霊力にどうしても惹かれてしまうため、だまされるのです。**少しでもラクをしたい、少しでもカンタンに開運したい、という心があれば、魔物はそこを突いてきます。**

地下鉄サリン事件を起こしたカルト宗教も、チャクラを開く瞑想を信者におこなわせたり、悟りの境地を信者に移植する儀式をしたり、ヨガや瞑想を主にしたインド的な霊的修業を教義としていました。

古来の教えが神道や仏教として伝承されている日本で、あえてそれを捨て、インドの瞑想やヨガに心の救いを求めるのは、本来の道ではありません。ヨガは健康体操としておこなう分には何の問題もありませんが、ヨガを入り口にして、カルトに引きこまれないよう注意が必要です。

邪霊の影響を取り除く方法

荒廃して、ハグレ眷属に占領され、邪霊がはびこる神社が全国に増えていますが、今も、ご祭神様がしっかりとご神徳を発揮されているすばらしい神域も、数少ないですが存在しています。著者はこれらを推奨神社と呼んでいます。

この推奨神社に正式に参拝することを定期的に続けると、邪霊がしだいに駆逐されて、自分の霊体が浄化されていきます。**過去にスピリチュアルに関わってしまった人や、自分や家族に何か問題を抱えている人は、守護霊に祈るだけではなく、推奨神社のご祭神の加護を授かることをおすすめします。**

正しい神様の加護と応援を授かることで、幸せを阻害している邪霊がしだいに祓い清められ、守護霊の導きを受け取りやすくなり、幸せな人生への軌道修正がなされるのです。推奨神社とのつながりが維持されている人は、前世療法を受けたときも、正確な前世や守護霊とスムーズにつながり、因果応報の理（ことわり）を悟る機会を得やすくなります。

わたしたちが安全に人生を好転させ、永続的に幸せになっていくためには、正しい神様を崇敬して主祭神様を敬い、円満具足の人格を養う日々の修養を心がけることが重要です。眷属にすぎない稲荷や龍神を、主祭神様をさしおいて信仰することは、本末転倒したあり方です。ご眷属の管理は、主祭神様や神社の神職にお任せすればいいのです。わたしたちが心を向けるべきは主祭神様です。

ご眷属のパワーを活用することを願うなら、主祭神様とのつながりを揺るぎないものにし、本書で説く普遍的信仰心を身に着けることです。正しい加護を受けられるようになれば、主祭神様の命によってご眷属もまた動かれて、天佑神助を授けてくださいます。その場合は副作用も悪影響もありません。

そもそも、**ご眷属の現世利益のパワーだけを追い求めること自体が、魂を磨くという人生の本義から離れた行為**なのです。このような「おかげ信仰」をしていると、その副作用は自分だけではなく子々孫々にまで及ぶので、極めて危険です。

ハグレ眷属の悪影響を受けている人の場合、前世療法を受けても、前世を体験することを妨害されることが多いです。守護霊との対面も、邪霊の妨害によって上手くいかないことがほとんどです。ハグレ眷属の稲荷や龍神などを信仰したことがある人の場合、前世療法を受けたとしても、前世が見えないか、見えてもファンタジーのような世界を体験して終わります。

それどころか、邪霊が化けた偽守護霊が出てきて適当なメッセージを伝え、惑わされることも多いのです。巷には、こうした邪霊を見破ることができず、スピリチュアルガイドと誤認したまま扱っているケースが多いので注意が必要です。昔話で、狐に化かされる旅人の話がありますが、現代においてもこれとまったく同じような現象が、ヒプノセラピーや霊的ヒーリングの現場で起こっているのです。

ところで、霊能者や占い師、黒魔術師などで、道に外れたおこないを重ねてしまった人は、死後、地獄界に落ち、何千年もそこから出てくることができません。それは、多くの人々の人生を歪ませ、因果の理（ことわり）を捻じ曲げようとした罪によります。ハグレ眷属の稲荷や龍神の霊力を頼りにして、現世利益を得る生き方をした人間も、これに準じた結果となりますから、けっして良い霊界に行くことはできず、来世でも厳しいつぐないの人生が待っています。この世でどれだけ金運や名声を得ても末路は悲惨です。このような邪霊とはかかわりを持たないようにしましょう。

ただし、先祖代々、近所の稲荷系神社に通っていたり、家に祠があるような場合は、急激にその信仰を止めると危険です。昔、熱心に稲荷信仰をしていた先祖がいた家系などで、その崇敬を子孫が途中でやめてしまう場合、やめたということで因縁をつけられ、今度は子々孫々崇られることになります。このような災難を避けるためには、礼節をもって、これまでどおりに対処していくしかありません。願いごとは絶対にしないよう心がけ、定期的にお供えだけして、祭祀を放棄しないように保って、今生を乗り切るしかありません。

不用意に祠を破壊したり、社を壊したりすると、そこに居ついているハグレ眷属が強烈に怒り、激しい仕返しを子々孫々にわたって仕掛けてくる場合があります。すると、代々なぜか長男ばかり早死にするとか、親子、親族の相剋関係、精神疾患などの奇病が家族に続出するといった、異常に不幸な家系になったりするのです。

こうした災難を受けている場合も解決法はあります。また、ハグレ眷属への信仰を止めたい場合も、弊害が出ない方法でそれを達成するやり方も存在します。ただし、その実践のためにはより深い学びが必要であり、自己判断で対処することは非常に危険です。

日本には八百万（やおよろず）の神々がいるといわれていますが、そのすべてを拝んで良いというものではありません。その神のランクもあれば個性もあり、得意分野もあります。正神も邪神も八百万の神々のなかに含まれているのですから、中途半端な知識で、神様だからといって邪神を拝んでしまうことは、避けましょう。

もし、スピリチュアルやカルトなどに深くはまり込んでいる人が周囲にいたら、その人とはできるだけ距離を取ることをおすすめします。自分は信じていなくても、その友人や知人と歓談したり、いっしょに行動するだけで、まるでウイルスに感染するように、その教団の霊が飛んできます。また、彼らの多くは熱心に布教しますので、あなたを引きこもうと念をこちらに向けてきます。こうした念に乗っかる形でも、ハグレ眷属の邪気が飛んでくるのです。

これらの霊的影響力は、けっして、あなたを幸せにするものではありませんから、あなたのまわりに揉め事やトラブルが増えたり、気分が沈んだり、イライラしたりと、あなたの人生を妨害します。もちろん、自分の前世からの因果応報の結果として、その友人や知人とのご縁が今生においてあらわれているのです。しかし、今生の努力で運命はいくらでも改善できますから、正しい学問によって知識を得ることで悪縁を切り、その分、良縁を結んで、こうした災難を未然のうちに防ぐことも可能なのです。

ここまで読まれて、スピリチュアル的なことはすべて邪悪なのだと思った方も多いでしょう。しかし、物事が完全に善悪で割り切れないのと同様、ハグレ眷属や自然霊のなかにも、邪悪と言い切れない存在もいるのは事実です。それらの、邪悪ではないけれど、かといって正しいご神霊の統率も受けていない存在は、彼らなりの善意やお節介で、人間界に干渉しています。U

FOのような超自然現象を見せたり、人間に警告を与えようとして、夢で不思議なメッセージを伝えてくる場合もあります。

邪神と呼ぶには悪意がなく、神様の経綸を正確には理解していないため、正神と呼ぶこともできない存在です。ときには、懸命に努力を重ねる人間に手を貸したりもします。しかしながら、これらの存在とのかかわりはやはりおすすめできません。

なぜならば、その存在が本当に邪神でないことを見極めるのが難しいからです。邪悪な霊は神様を装います。善霊、善神であるかのようにふるまって、人間をだますのです。その正邪を正確に見極めることは容易ではなく、実際問題として邪霊であることのほうが圧倒的に多いのです。

ハグレ眷属などの邪霊による災いを避ける最善の方法は、心霊現象やお告げ、チャネリング、霊的ヒーリング、自動書記、霊視、霊言、霊気、遠隔気功、占いなどのスピリチュアルとは、最初からかかわりを持たないことに尽きます。わたしたちがこの世で魂を磨いて向上し、積善を重ねて開運していくうえで、スピリチュアルのような現象は必要のないことです。

本来必要がないのに、そこに興味と関心が向かうのは、心の底に「失敗したくないから、正解を知りたい」「答えを早く知ってラクをしたい」「不思議なパワーをもらってラクに幸せを手に入れたい」という「怠りの心」があるからです。あるいは、自分が霊能者や超能力者やサイ

郵 便 は が き

恐縮ですが
切手を貼っ
てお出しく
ださい

東京都新宿区
四谷4－28－20

(株) たま出版

ご愛読者カード係行

書　名				
お買上 書店名	都道 府県　　市区 郡　　書店			
ふりがな お名前			大正 昭和 平成　　年生　　歳	
ふりがな ご住所	□□□-□□□□		性別 男・女	
お電話 番　号	（ブックサービスの際、必要）	Eメール		

お買い求めの動機

1. 書店店頭で見て　2. 小社の目録を見て　3. 人にすすめられて
4. 新聞広告、雑誌記事、書評を見て（新聞、雑誌名　　　　）

上の質問に 1. と答えられた方の直接的な動機

1. タイトルにひかれた　2. 著者　3. 目次　4. カバーデザイン　5. 帯　6. その他

ご講読新聞　　　　新聞	ご講読雑誌

たま出版の本をお買い求めいただきありがとうございます。この愛読者カードは今後の小社出版の企画およびイベント等の資料として役立たせていただきます。

本書についてのご意見、ご感想をお聞かせ下さい。

① 内容について

② カバー、タイトル、編集について

今後、出版する上でとりあげてほしいテーマを挙げて下さい。

最近読んでおもしろかった本をお聞かせ下さい。

小社の目録や新刊情報はhttp://www.tamabook.comに出ていますが、コンピュータを使っていないので目録を　希望する　いらない

お客様の研究成果やお考えを出版してみたいというお気持ちはありますか。
ある　ない　内容・テーマ（　　　　）

「ある」場合、小社の担当者から出版のご案内が必要ですか。
希望する　希望しない

ご協力ありがとうございました。

〈ブックサービスのご案内〉

小社書籍の直接販売を料金着払いの宅急便サービスにて承っております。ご購入希望がございましたら下の欄に書名と冊数をお書きの上ご返送下さい。

ご注文書名	冊数	ご注文書名	冊数
	冊		冊
	冊		冊

キックになることで、世間から尊敬されたい、周囲をあっと言わせたいという、自己顕示欲があるからです。

邪霊は、このような怠惰な心や自己顕示欲をうまく利用して、人間の心に巧妙に入り込むのです。反対に、勤勉な努力家で、我欲よりも世のため人のために尽くそうという義の心のある人は、正しき神の加護を受けやすいのです。普遍的信仰心を持ち、積善の道を歩むことがもっとも安全確実な成功法です。

コラム3

放射線の話

人工的に放射線がまったく当たらない箱をつくって、そこに微生物を入れると、ほかの条件をどれだけ満たしてもその生物は死滅します。放射線のないところで生命は生きられないのです。そして、地球上には、一定量の放射線が自然に存在します。

自然の放射線というと、まるで人工の放射線が存在するような誤解を持つ人もいますが、放射線には、人工とか天然という区別はありません。原子力発電で出る放射線と、地球上に自然に存在している放射線はまったく同じ放射線です。人体も微量な放射線を放出しています。

放射線はわずかな量でも害がある、と信じている人もいますが、すでに放射線医学によって、この説は否定されています。原爆のように莫大な放射線を浴びると健康は障害されますが、低線量であればむしろ健康増進の効果があります。

ミズーリ大学名誉教授、トーマス・D・ラッキー博士は、NASAで十年以上、放射線の害から宇宙飛行士を守る研究を続けました。そして、宇宙飛行士が浴びる放射線は、地球上の十倍以上もの線量でありながら、むしろ人体に有益で、健康を増進することがわかったのです。ラッキー博士はこれを「放射線ホルミシス効果」と名づけました。ＮＡＳＡの宇宙飛行士は大量の放射線を宇宙で浴びていますが、そのことで病気が増えることはなく、むしろ、宇宙から帰還してからは健康が増進されていたのです。

ラッキー博士は、**放射線は生命にとって必須のものであり、健康増進のために低線量放射線を浴びることが必要である**と述べています。

また、ラッキー博士は、ラドン温泉や、長崎、広島のデータを詳細に研究して、年に百ミリシーベルトぐらいの低線量放射線に健康効果があることを明らかにしています。低線量放射線は細胞賦活作用を持っており、それにより細胞の修復力、免疫力が高まり、健康をもたらすのです。オックスフォード大学名誉教授のウェード・アリソン氏も、広島、長崎、チェルノブイリの種々のデータを解析することで、疫学上、百ミリシーベルト未満で人間の癌発症率が上昇する証拠はないことを示しています。

日本人は、自然の放射線を年間二・四ミリシーベルト浴びています。世界には日本より自然の放射線が高い土地や国があって、そこの住民は幼児から高齢者まで健康で癌が少ないのです。たとえば、イランのラムサールはラジウム鉱石が多く、日本の二十四倍の自然放射線があります。インドのケララは日本の九倍、ブラジルのガラパリは日本の十三倍です。放射線医学の専門家がこれまで何度も研究をおこなっていますが、この地域で癌が増えたとか、住民が早死にするといったデータは一切出ていません。それどころか住民は健康で、癌や感染症などによる死亡率も軒並み低くなっているのです。

また、全国にあるラドン温泉やラジウム温泉は、天然石から低線量放射線が出ています。大正時代に温泉の研究が進み、**湯治に効果がある温泉の多くがラドン温泉、ラジウム温泉であることが判明**しています。ラジウム鉱石やラドンガスから出る低線量放射線をあびると、体は活性酸素を分解する酵素を増産します。この刺激で免疫系、ホルモン系、神経系などの身体機能が賦活され、免疫力向上とアンチエイジング、病気治癒の効果が得られるのです。

鳥取県の三朝温泉が有名です。三朝温泉区域内の住民の調査では、住民の癌死亡率は全国平均の半分以下でした。胃癌、肺癌は三割以下、大腸癌は二割以下です。

秋田県の玉川温泉も有名です。北投石の低線量放射線による効果で多くの難病の患者が救われてきた温泉です。

アメリカのモンタナ州にはウラン坑道のなかにラドン浴をする施設がありますし、オーストラリアのバドガスタインの天然ラドン坑道にもラドン浴施設があって、これらは医師による管理のもと、難病の治療に役立てられています。

トーマス・D・ラッキー博士の研究を裏付けたのが服部禎男博士です。服部博士の著書『遺言～私が見た原子力と放射能の真実』（かざひの文庫）に、服部博士がおこなったホルミシス効果についての研究が出ています。服部博士によると、**すでに事故や放射能漏れの危険がない安全な超小型原子炉という新技術が完成している**そうです。全国の原発がこの超小型原子炉に置き換えられることで、いっそう安全性が高まることでしょう。

日本に原発が必要である理由は、エネルギー安全保障の問題があるからです。エネルギーは複数の手段で取り出せるようにしなければ、国の安全保障が維持できません。石油単独に依存している国は、中東に戦争が起きて石油が輸入できなくなると、たちまち全国が停電して医療機関も機能停止してしまうでしょう。また、太陽光や風力による発電は、天候に左右されてしまうために不安定で、補助的な役割を担うことしかできません。

ホルミシス効果について知れば、原発問題への間違った認識はなくなるでしょう。

東日本大震災では、旧型のアメリカ製原子炉が、非常用電源に津波を被ったために停止しました。しかし、日本製の原子炉は一基も壊れなかったのです。**震災は、むしろ日本の原発技術が世界一安全であることを証明**しました。

そもそも、日本だけ原発を止めたところで意味がありません。中韓にある多数の原発のほうが事故や故障が多いのですから、事故対策や事故防止の技術の維持、発展のために、日本で原発が稼動し続けているほうがむしろ安全ではないでしょうか。もし、原発がゼロになってしまえば、日本の技術者や特殊技術がすべて中韓に流出して、日本は科学技術立国の座を奪われてしまうでしょう。

ラッキー博士が放射線ホルミシスの健康効果を提唱して以来、自然放射線の百億倍を超える線量の放射線を放つ原爆と、低線量放射線の問題が根本的に違うことがはっきりしました。二〇〇一年六月、フランス医学アカデミーのモーリス・チュビアーナ博士は、一九九八年から続けてきたEUの科学者たちとの協同研究にて、人体細胞の放射線の影響を調査してきた結果を発表しました。その結果、自然放射線の十万倍の線量以下なら、常時照射をされ続けたとしても、人体細胞の健全性確保はパーフェクトであって、発癌には至らないとわかったのです。

一九六〇年から一九七〇年にかけて、中国やソ連の核実験のために、放射性物質が日本中にふりそそぎました。福島の事故の数倍の汚染物質が大陸から飛来していました。そのときに胎児であった人たちはどうなっているのでしょうか。その時代も、子供が産めなくなるとか、放射能を恐れる流言飛語が飛び交いましたが、結果として、その世代に健康被害が続出するということはありませんでした。低線量の放射線だったからです。

原子力というエネルギーもまた、神が人類に与えた大切な資源であり、これを安全な形で文明の発展のために活用することが正しい向きあい方です。現在、国内の原発の多くが停止状態にあり、一日も早く、これらを再稼働させることがエネルギー安全保障の観点から重要です。放射線ホルミシスと反原発運動の問題は、わたしたちがいかに間違った思い込みをしているかの代表的な事例です。

似たような事例として、地球温暖化問題があります。地球が温暖化していることは事実であり、気候変動が何万年単位で起こっていることも間違いありません。しかし、それはCO2の増加が原因ではないということがわかってきました。むしろ、地球上に存在するCO2の量は、植物が十分に育つためには、圧倒的に不足していることがわかっているのです。

ところが、CO2削減をビジネスにしている勢力によって、嘘の情報がまき散らされています。過剰なCO2規制は、地球上の植物の繁栄を阻害し、農作物の収穫減少などを引き起こし、人類を食糧難に追い込む危険があります。

ところで、日本は海中に自前の資源を持っています。メタンハイドレートというものです。これは、主に日本海や沖縄周辺に存在しています。日本で最初に表層型メタンハイドレートの実用化の研究をしたのが、東京海洋大学准教授の青山千春博士です。メタンハイドレートのメタンは、既存の施設を利用して、燃料として発電が可能ですから、実用化が実現した暁には、日本は資源大国となるでしょう。メタンハイドレートの実用化は日本を豊かにし、国民を幸せにするであろうことは間違いないのに、石油利権の既得権益の勢力に妨害され、実用化の研究が捗っていません。こうした問題が解決していくように、わたしたちは祈っていかなければならないでしょう。

第四章

天佑神助を引き寄せる法

☆魂の黄金法則⑤
邪霊の妨害をとり除いて、守護霊の加護を強化するため、推奨神社に参拝する。

☆魂の黄金法則⑥
究極の積善とは、愛国心で国と人類を救うことである。

1. 守護霊を最大限に活かす方法

守護霊の加護を強化するには

守護霊の実在を確信し、守護霊の働きについて理解を深め、日常生活のなかで祈ることを通じて守護霊とのつながりを強化すれば、自分の運を良くすることができます。幸せを引き寄せるための土台となる積善の実行を忘れないかぎり、そして、**人生に立志発願を持ち、自由意志を働かせて前向きに精進努力の生き方を貫くかぎり、守護霊はあなたの進むべき道を守り、導いてくれます。**

守護霊の加護をさらに強化するには、邪霊の妨害を取り除いていくことが大切です。誰でも、何らかの邪霊の悪影響を受けています。そのマイナスの影響を除去することで、守護霊の応援というプラスの影響をよりストレートに受け取れるようになります。邪霊を駆逐して、霊体を浄化するもっとも効果のある方法は、推奨神社への参拝です。

推奨神社とは、邪気汚染の非常に少ない限定された神域のことを指します。これらの神域を選ぶことで、神社参拝の効果を高め、弊害から身を守ることができます。氏神様だからとか、産土神社だからといった理由で不用意に地元の荒廃した神社に祈願することは、開運を妨げる結果にもつながりかねないので注意しましょう。

たとえ推奨神社であっても、境内のあちこちを巡ったり、摂社や末社にひとつひとつお参りしたりすることは避けましょう。

そういった場所には、参拝者が落とした穢れが邪気として滞留しやすいからです。もっとも清浄な場は、推奨神社の本殿（正殿、拝殿とも呼ばれ、神社ごとに呼び名は違います）の前です。お祈りはそこでおこないます。守護霊に立志発願する方法を前章で解説しましたが、それに準じるやり方で、心のなかで神様に語りかけるように、ていねいに二十〜三十分以上の時間をかけて祈ることが大切です。「神様だから、何でもお見通しでわかっているのだから、詳しく申し上げる必要などない」と考えるのは誤りです。

あえて言葉で表現して、礼節をもって、願いごとを神様に申し上げることで、神様にあなたの真心が伝わります。これを「神に誠を捧げる」とも表現します。誠を捧げることで、その誠に応じて神様は動かれるのです。お祈りするとき、**願いごとをひとつひとつ具体的に詳細に祈ることが大切**です。日本の国のことを祈り、自分の身のまわりのことを祈り、自分自身に関することをひとつひとつ祈っていくと、三十分はあっというまに経過し、一時間を超えることもあるはずです。本殿の前で祈ったら、次は、ご祈祷を申し込みましょう。ご祈祷とは、神職が正式に祝詞奏上をして、神様に願いごとを取りついでくれる儀式です。

ご祈祷は正式な祈願であり、神様に誠として受け取っていただける祈り方です。誠というと、何かつかみどころがないもののように思うかもしれません。神様や守護霊の側から見れば、人間の真心を測るメーターのようなものがあるのだと考えてください。人間が嘘偽りのない誠実な気持ちで、**真心を込めて神様に祈願するとき、その「真心メーター」の目盛が上昇し、ある一定のラインを超えたら神様が動かれる**と考えるとわかりやすいでしょう。

お賽銭を投げ入れて賽銭箱の前で祈るだけの人と、正式にご祈祷を申し込み、威儀を正して祈願する人とでは、その行為にこめられた誠に差があるとわかるはずです。前者は気軽におこなうことができますが、後者は、それなりの覚悟なしには実行できません。神様はその心の底をご覧になっているのです。

「ご祈祷は願目の種類がいろいろありますが、主に「心願成就」の願目で申し込むとよいでしょう。ご祈祷の最中も、心の中で神様に語りかけるようにして、自分の願いごとを具体的に神様にお伝えするように祈ります。

ご祈祷は、日本文化のひとつでもあります。七五三や初宮詣で、厄年の厄除けの祈祷など、神社で何らかのご祈祷を受けた経験がある人も多いと思います。

しかし、ここでお伝えしているのは、そういった一生に一、二回受けるようなご祈祷の受け方ではなく、神様のご加護を真剣に希って、定期的にご祈祷を受けるために神社に足を運ぶやり方です。毎月受けたり、隔月に受けたり、三か月ごとに受けたりする、定期参拝がもっとも効果的です。そうすることで、推奨神社の神様があなたの守り神となって、格別の加護と応援を継続的に授けてくださるのです。

推奨神社に正式な参拝をすれば、はっきりとしたご神徳を授かり、邪霊が祓われます。日常生活を送ると、知らず知らずのうちに他者の生霊を受けたり、自分自身の悪想念が蓄積したり、そのほかのさまざまな邪霊にいつのまにか憑依されていたりするものです。

定期的に参拝することで、これらの穢れをこまめにクリーニングして、霊体を浄化していくことができます。そうすると、いつも明るく前向きで清々しい精神状態が維持できるようになります。良い引き寄せが起こりやすくなり、守護霊の加護と応援がスムーズに機能するようになるでしょう。これが、自然な天佑神助を得て、人生を好転させていく王道です。

邪霊は悪想念を誘発し、やる気を損ない、気分を滅入らせます。それを除去して、自分の霊体の掃除をするため、推奨神社への参拝を定期的におこないましょう。正しい参拝による浄化の効果は、一、二週間から、最大一か月程度続きます。それを過ぎると再びマイナスの気が蓄積してきますから、できれば月に一回足を運び、時間をかけて祈り、ご祈祷を受けるのが理想です。そうすれば、神様に誠を受けとっていただき穢れを祓うだけではなく、あなたの立志発願した願いごとの成就も、少しずつ道が開いて、実現へと近づいていくでしょう。

くれぐれも注意しなければならないのは、**ご神霊と深く縁を結んで関わりを持つ以上、その神社が清浄で、邪霊による汚染がほとんどない、厳選された神域である必要がある**ということです。神社ならどこでもいいというわけではありません。

本書では、これまでの前世療法で得られた種々の情報を含めて、約二十年の歳月をかけて全国の神社のなかから厳選してリスト化した推奨神社の一部を紹介していますので、参考にし、お役立てください。

もし、神様がすでにいなくなって邪霊に乗っ取られたような神社に毎月通うようなことをすると、かえって運が悪くなり、人生が迷走していくことにもなりかねませんから、注意が必要です。

どこの神社にお参りしても同じではないかと考える人もいるかもしれません。あるいは、氏神さんにお参りすべきだとか、産土神社にお参りすべきだという考え方の人もいるかもしれません。

しかし、こうした考え方は本書ではおすすめしません。

なぜなら、現代は江戸時代のような時代とは違うからです。日本に住んでいる日本人の意識も変わりましたし、今や日本は三百万人もの外国人が暮らす国になっています。国土全体の霊層は、そこに住む人々の集合的意識によって決まるのですが、日本という国土の霊脈は現在かなり汚染されていると言わざるを得ません。多くの神域、パワースポットがすでに穢れ、機能不全に陥っています。

一番の問題は、最近とくに加速している、ハグレ眷属の増加による神社の汚染です。ご祭神がすでに去ってしまった神社も増えています。**ご祭神がいなくなり、ハグレ眷属に占拠されたような神社を、氏神だから、産土だからという理由で参拝すれば、かえって悪い結果をもたらすことになる**でしょう。パワースポットめぐり、寺社めぐりなどの行為は、実は危険な側面を持っているのです。

また、八百万の神々のなかには、危険な神、攻撃的な神も存在しています。とくに、妖怪としての一面も持っている神は、参拝による一時的な現世利益が大きいかわりに、覚醒剤のように後から危険な副作用が出てきます。巷には、こうした危険な神々への参拝を勧める「専門家」もいるので重々気を付けなくてはなりません。

神社でお守りを買い求める人は多いでしょう。しかし、**お守りを持っていれば、因果応報の**

作用が消えるかというと、そうではありません。お守りで運命が変わることもありません。お守りを持つことで、その神社の神様に対する崇敬の念を深める効果はあるかもしれませんが、これまでに述べてきたようなていねいなお祈りを捧げて、正式にご祈祷を受けるという行為に勝るものはありません。お守りをいくつも買い集めても、あなたの運命が好転することはありませんが、毎日お祈りをする習慣をつくり、毎月推奨神社に足を運んで神域で祈り、誠を捧げてご祈祷を受けることを定期的に続ければ続けるほどに、現実の運命好転、問題解決の天佑神助を授かることができます。

毎日祈るということは、毎日立志発願をするということです。人生を主体的に創造していくために、思考の力を正しく運用しているということでもあります。「人間は自分が考えているとおりの存在になる」という古典の教えにもあるように、**祈りとは、天佑神助を授かることに加えて、自分自身の意志力を強化し、より良い方向に行動修正していくための精神集中の一種**なのです。

お祈りと瞑想の違い

お祈りと瞑想はどう違うのですかという質問を受けることがあります。

瞑想は、無の状態をつくり出そうとするものです。呪文やマントラを唱えて、音声に集中することで無心になるか、あるいはヨガの瞑想のように、ある種のイメージに意識を集中させることで雑念を払おうとします。これらは、どれも、最終的に無心の状態をつくり出そうという試みであり、無の状態に価値を置いています。

これに対して**お祈りは、良き想念、良き思考を、心のなかの言葉によって創造し続ける行為です。良き想念、良き思考を生み出せば、それが現実を変えていく力となります。**

ですから、お祈りとは、人生をより良い方向にクリエイトしていくための瞑想の一種であると解釈することもできます。違いは、お祈りは無心ではなく「有心」であることです。

無心になるための瞑想の最大の弊害は、無の状態には、邪悪なものが入りやすいという点です。そのため、**瞑想の修業をしているうちに邪霊に憑依され、いつのまにか霊能者になってしまう**、という危険があります。

ですから、長時間の瞑想はおすすめしません。どうしてもおこないたい場合は、十分から十五分といったごく短時間の精神統一にとどめておきましょう。そして、ほんとうは、それさえも、しないほうが良いのです。

こうしたことを踏まえると、もっとも安全であるのは、お祈りによる精神統一なのです。三十分の瞑想よりも、三十分のお祈りのほうをおすすめします。そのほうが、よほど自分と世の中をすばらしく変えていくことができます。また、無心になりたければ、瞑想よりも、武道やスポーツ、あるいは芸術的な創作活動（絵を描いたり音楽を演奏したり）に没我没頭するなかで無心になると良いのです。このような**精進努力をするなかでの無心の状態のときには、守護霊がしっかりとその人を守っているので安全**なのです。

2．推奨神社参拝法

何を祈るかが重要

守護霊への**お祈りは、感謝、立志発願、問いかけ、加護を希う、の四要素が大切である**と先に述べました。推奨神社のご祭神様へのお祈りも基本は同じです。参拝したら、本殿（正殿、拝殿なども呼ばれる）の前で、二十～三十分以上の時間をかけて、じっくりとお祈りを捧げましょう。その後、ご祈祷を受けますが、ご祈祷を受けている最中も、本殿の前で祈ったのと同じ内容を再度、お祈りします。

推奨神社参拝においては、まず最初に、大きな視野からのお祈りをすることが大切です。大きな視野からの祈りとは、日本の国民や世界の人類の幸せに関して祈りを捧げるということです。とくに大事なことは、**日本の国が、平和で豊かで安全な社会になるように祈る**ことです。推奨神社に鎮座されるご祭神様のお働きというのは、その地域を中心とする日本の国土の守りです。地域を中心に、広く国民や国土の邪気を祓い、浄化して、災いの根源を断つのが、そのお役目です。

日本という国は世界でも稀に見るすばらしい国です。連綿と続く歴史を持ち、天皇と国民は常に君臣一体の調和を保ってきました。神武天皇が建国して以来、外国の植民地になったことは一度もありません。中国のように何度も支配民族が入れ替わり、王朝が断絶するごとに文化が入れ替わったような国とは違い、一貫した日本文化を育んできました。このような国に生まれたことを誇りに思い、国のために尽くそうと思うなら、いっそう加護は強くなります。

そして、**守護霊と同様、神様もまた、人間の至誠の祈りに対してのみ、大きく動くことができる**のです。天皇陛下が宮中三殿で祭祀されるのも、各地の神社を参拝されるのも、日本国民を代表して、ご祭神様に国民と国土をお守りいただけるように祈願するためなのです。

正しい霊的存在であるほど、人間の自由意志を尊重されます。人間の自由意志を束縛したり、支配したり、捻じ曲げるようなことは、神様は絶対になさらないのです。だからこそ、**祈りもしないのに神様が動かれるということはまずありません。**

神様が動かれ、救済の神力を発動されるとき、そこには必ず、誰かの真心が極まった愛の祈りがあるということです。**より多くの人が真心をこめて祈るほどに、神様はより大きく世の中に影響力を及ぼすことができる**のです。ですから、神様はわたしたちに、もっと祈って欲しいと願っておられます。日本の国が守られ、より良くなるように、日本を中心とする世界の平和が成就するように、わたしたちはそれぞれが日本国民を代表して、祈りを捧げるべきなのです。

推奨神社に参拝するときは、日本の国について、大きな祈りをするように心がけましょう。そのためには、社会の出来事に目を向け、どのような問題が起きており、それをどう解決すべきなのかを自分自身でも学んでいく必要があります。著者がおすすめするのは、旧態依然とした新聞やテレビなどのオールドメディアではなく、ネットニュースです。そのなかでも**動画ニュースの「チャンネル桜」というニュース番組をとくにおすすめします。**テレビや新聞では報道されない真実の社会情勢が学べる優れたネットニュース番組です。「チャンネル桜」は、大企業や宗教団体、組合などの資金援助を一切受けず、有志の支援者の出資のみで運営されており、偏向のない本当の情報が報道されている稀有な存在です。スマホなどで「チャンネル桜」と検索してみてください。ユーチューブで番組を無料視聴することができます。

社会の出来事を学べば学ぶほど、日本の国と世界にさまざまな問題があって、自分たちは試練のなかにいるのだとわかってきます。それは積善を重ねていくモチベーションにもなります。

意識を国や世界へと拡大して、広く愛の念を向けてお祈りするほどに、神様とつながるようにもなるでしょう。世界人類や日本国民の幸せを祈るような人には、神様もより一層のご加護を授けてくださいます。**究極の積善とは、愛国心で国と人類を救うことなのです。**

人類をこの先、どのように導いていくかについては、神の経綸が存在します。それは、最終的には人類をひとつにまとめるという方向ですが、強大な独裁の帝国が全人類を支配するような姿ではありません。それぞれの国家が、政治的にも社会的にも文化的にも成熟していき、バランスのとれた民主主義と自由が達成され、人々の道徳性が高まっていくことが大前提です。

遠い将来、このような成熟した国家ばかりになるときが来て、それぞれの国家の統治機構や国民の水準の格差が小さくなっていくでしょう。そうなった暁には、日本を含めて、それぞれの国が独自の伝統や文化を維持したままで平和裏に世界がひとつの連邦となるような未来の姿が成就するように、人類は導かれています。

天変地異や疫病、戦乱でさえも、この方向に人類を導くための試練です。これらの災難ひとつひとつが、国単位でのマイナスのカルマの清算を兼ねています。

地震や異常気象などの災害は、それ自体は地球という天体の自然現象です。しかし、その災害がどの地域に起こり、誰がどのぐらいの被害を受けるのかということは、けっして偶然に決まるのではありません。人間が一生のうちに受け取る苦しみは、前世の負債の返済ですから、そのなかには、災害によって受ける苦しみも含まれるのです。

しかし、わたしたちが、**地震や異常気象などによる災害で苦しむ人々が救われるように祈ることで、祈りによる救済という新しい原因を生み出すことができます。**もし、あなたが「地震で苦しむ人が救われますように、風水害で苦しむ人が救われますように」と日夜祈り、推奨神社に参拝された際にもその祈りを欠かさなければ、それは日本国民や、人類の未来にひとつの良き影響を与えていることになるでしょう。「**戦争が起きることがないよう、平和が維持されるよう、お守りください**」**と祈ることも同じです。**それは小さな良き種をまいていることになります。

もちろん、このような大規模な現象を左右するためには、一人、二人が祈るだけでは足りません。一人が祈ったからといって世の中がパッと変わったり、台風の進路が変更されたりすることもありません。しかし、何千、何万、何百万もの人々が継続的に、心から祈れば、人類全体に降りかかってくる未来の災厄を、大難から小難へと少しずつ変えていくことができるでしょう。わたしたちが、この仕組みを理解して、**人類の社会が調和し、戦乱が止み、人々が幸せになるように祈り続けることには大きな意義があります。**

また、天災地変や風水害の災いから人々が守られるように祈ることもすばらしい積善です。推奨神社に足を運ばれた際には、**祈りの最初に、ぜひ、こうした大きな角度から利他の祈りを**

するようにしてください。そのあとに、個人的な願いごとを続けて祈りましょう。個人的なことだけを祈るより、神様の反応が圧倒的に良くなります。

ある地域に巨大地震が起きて何万人もの命が失われるとき、その災難に人々が偶然巻き込まれるということはありません。病気であろうと、事故であろうと、災害であろうと、どのような形で死を迎えるにせよ、命を落とす人は、その時期に天寿が終わるもともとの運命があったのです。一般的に災難で突然に命を落とす場合、マイナスのカルマの清算は大きく進捗します。

だからといって、災害を座視して眺めているのは、愛のない行為です。災害が起きたときの被害を小さくするために、治水事業や、堤防、ダム建造、バイパスとなる道路などの交通手段の充実などを推進するように働きかけることが、わたしたちにできる現実的な努力の一つです。被災された方々に対して手を差しのべ、ボランティアで助けたり、義援金などで助けることもできます。人の危急を救うことが大いなる積善であることは、これまでに何度も述べてきました。

「被災された方々が救われるように」「地震や災害で命を落とす人々が救われるように」「地震や災害が起きることなく、大難が小難となって、守られるように」と祈ることも、また大いなる積善です。その祈りは、未来の災いを小難に変え、多くの人を救っていくことでしょう。

そして、天変地異をはじめとする大災害があっても命が救われる人になるためには、天運を授かる人間になることが最も重要です。天佑神助によって守られ、何があっても切り抜けられるような人になることが理想です。**積善の生き方を選び、天地神明の加護を常に受ける人となることこそ、あらゆる災害や苦難から自分と家族を守りぬくための最善の道**です。

参拝の方法と神棚

推奨神社の参拝に関して、もう一つ大切なことは、敬うべきは主祭神様だと肝に銘じることです。

神社に参拝すると、神域にある摂社や末社をひとつひとつ拝んで回る人の姿をよく見かけますが、これはおすすめできません。なぜなら、神域には常に、参拝者が落としていった邪霊や悪想念がわずかに残っているからです。それらは、神気充実した本殿のところには居づらいので、摂社や末社のあたりに滞留します。摂社や末社で祈ったり、奥宮や、ご神体とされる山などに登ることは、リスクがあるということです。したがって、**祈りを捧げる場所は、本殿（神社によっては拝殿、正殿とも呼ばれる）の前と、ご祈祷の最中のみです。**

主祭神様を崇敬することなく、眷属の動物霊などを崇敬することもまた、大きな誤りです。こうした上下を取り違えたおこないが、ハグレ眷属の発生をもたらす一因です。基本的に眷属のことは主祭神様にお任せしておくべきであり、**敬神の念を向けるべき対象は、あくまでも主祭神様である**ことを忘れないようにしましょう。霊能力を得たいとか、超能力を得たいといった邪心を持つと、ハグレ眷属と感応する危険が高まりますので、このような邪心はくれぐれも持たないように気をつけなければなりません。

ご神霊の霊体は巨大です。人間の霊体と比べて、神様は巨人のような存在です。ですから、推奨神社に参拝する際には、本殿や拝殿と呼ばれる中心のところでお祈りするだけでいいのです。本殿あるいは拝殿のお賽銭箱の前のあたりで、人込みを避け、真正面からやや左か右に数メートル離れた位置から二礼二拍手一礼して、合掌したまま目を閉じ、心のなかで語りかけるように二十～三十分以上かけて、ていねいにお祈りをします。

そして、**誠を形にあらわすためのおこないとしてご祈祷を受けることで、参拝は完成します。**ご祈祷の最中は、神職の祝詞奏上のあいだもずっと、心のなかで自分の祈りを繰り返しましょう。ご祈祷が終わったら、帰りにおみくじを引き、おみくじは、吉凶にかかわらず必ず持ち帰りましょう。吉凶に一喜一憂する必要はありません。吉凶よりも、おみくじに書かれている内

神棚の祀り方（米、水、塩の並べ方は一例）

容が重要なのです。

このような正しい参拝をした後で引くおみくじには、あなたの人生を好転させるための貴重な教えが含まれているのです。そこに書かれている処世のアドバイスこそが、あなたの参拝に対する神様からの教えです。

何を教えられたのか、今の自分の状況にあてはめ、帰宅後も何度もおみくじを読み返して考えてください。

どうしても解釈が咀嚼しきれないときは、祈祷札をお祀りした自宅の神棚で、二礼二拍手一礼して合掌し、「いただいたおみくじに示された内容の意味を受け取れますように。ご神意を悟る知恵をお授けください」と祈ると良いでしょう。このように祈っていると、ふとした気づきや発想が自然に湧いてきたり、

「これはそういうことだったのか！」と、はっきりと理解できる出来事が起きたりします。

神棚には推奨神社以外のお札は置かないようにしてください。また、社務所で買い求めたお札も置きません。**神棚には、自分が正式にご祈祷を受けていただいた祈祷札のみを安置する**ようにしましょう。神棚に必要なものは、祈祷札と、神具だけです。お社のミニチュアなどは必要ありません。神具とは、一対の榊、米、塩の小皿、水玉のことです。祈祷札は、立ったときの目線より上になるような場所に安置するようにします。方角に禁忌はありません。本棚の上などでもかまいません。神棚が整ったら、毎日の立志発願のお祈りは神棚に向かっておこないましょう。時間帯は毎朝が理想的ですが、難しい場合は夜でもかまいません。毎月祈祷を受ける場合、一年で十二枚、祈祷札を受けとることになります。これらはすべて重ねて安置します。いただいたときの日付を裏に書きこんでおくと良いです。日付をメモする理由は、一年経過したお札は、古札として神社にお返しするからです。

代表的な推奨神社

推奨神社は、邪気汚染が少なく、ご祭神が健在で、清浄な神域であり、全国でもかぎられたところです。ここでは、著者の作成したリストのなかから、十一社をピックアップして解説します。推奨神社のご祭神様は、あなたに多くの積善をしてほしいと願っておられますから、参拝したら、積善について志を立て、どのような人生をこれから切り開いていきたいのか、具体的に立志発願のお祈りをしましょう。それが、加護を大きく授かるコツです。

塩竈神社（宮城県塩竈市一森山一―一）

この神様は、東北全域の繁栄と発展を導かれる存在です。日本と地域の繁栄と発展、人々の幸せについて深く祈ることで、この神様とのつながりが強化されます。あなたがいっそうの積善をおこなえるように、環境が整っていくことでしょう。主宰神様を祀っているのが別宮という特殊な様式です。参拝する際には、別宮の前に立ってお祈りをするようにしましょう。

三峯神社（埼玉県秩父市三峯二九八―一）

邪霊の霊的障害を受けている人に大いなる救いを与える神様です。この神様も、日本の国のために大きな角度で動かれる神様ですから、参拝したら、まずは日本の国の弥栄（いやさか）を祈り、国内に存在する懸念事項の解決、改善について祈りを捧げましょう。そうすれば、その祈りに応える形で、あなた自身の積善の道が開いていくでしょう。より大きな積善をおこなえる環境になり、あなた自身もまた積善の果報によって大開運していくのです。奥宮は避け、本殿の前にて祈りましょう。

箱根神社（神奈川県足柄下郡箱根町元箱根八〇－一）

昔から、戦勝祈願に強い神様として知られてきている通り、この世におけるさまざまな戦いに打ち克つ力を授けて下さる神様です。経営者、弁護士、警察官、営業職をはじめとして、あらゆる仕事の勝負運を高めてくださいます。そして、勝利するだけではなく、それが大きな積善につながるようにも導かれます。永続的な繁栄の道が整っていくのです。お祈りする際も、勝ち負けだけを祈るのではなく、日本の国の弥栄（いやさか）と積善の道の成就を中心として祈りを捧げることが、神様とより深くつながるために大切です。

熱田神宮（愛知県名古屋市熱田区神宮一－一－一）

ご神体が剣であると伝承されてきたことからもわかるように、強い意志の力を授けてくださる神様です。精進努力を最後まで貫き、志を遂げることができるように守ってくださいます。精進努力を妨げる邪霊を祓い、悪想念を除去して、心が明るく前向きになるように導かれます。

ここでも、日本の国が守られるよう祈り、自分がいっそうの積善を神様のため、国のため、人々のためにおこなえるように祈りましょう。そうすれば、その積善の志が遂げられるように意志力を強化してくださるのです。

大神神社（おおみわじんじゃ）（奈良県桜井市三輪一四四二）

三輪明神とも呼ばれ、病を治す神としても知られています。病の根源にある邪霊を封じ、健やかな心身を蘇らせてくれる神様です。また、良縁を結び、豊かな財徳を与えて商売繁盛の道を開いてくださいます。

第十代崇神天皇の御代、疫病や内乱を鎮めて国を守られた神様です。争いを鎮め、調和をもたらすご神徳を受け取るためにも、皇室と日本国の弥栄（いやさか）を祈りましょう。世のため、国のため、人のために愛と真心で祈るとき、この神様のお力とつながることができます。自分の願いだけを祈るのではなく、世のため人のためになる大きな願いを祈ると、その分だけ、より大きなご神徳を授かることができるでしょう。拝殿の前でお祈りしてから、ご祈祷を受けます。ご神体とされる三輪山には登らないようにしましょう。

西宮神社（兵庫県西宮市社家町一－一七）

商売の神様として有名です。商売繁盛を謳う動物霊と違って、安全な金運を授かることができます。ただし、それはすべて、その人の精進努力と積善の積み重ねの上に授かる約束であり、棚ぼた式の金運ではありません。人としての誠を捧げ、忍耐強く、根気よく、精進努力を重ねていく生き方ができる人に、大きな天佑神助を授けてくださいます。この神様のご加護を授かるには、何のために豊かになりたいのか、という心の出発点が重要です。世のため、国のため、人のために、何かを成し遂げたいとの思いから祈るなら、より一層、大きなご加護を授かることができるでしょう。

出雲大社（島根県出雲市大社町杵築東一九五）

縁結びの神様として知られているとおり、ありとあらゆる人の縁を結ぶことで、その人の苦境を救い、開運へと導く神様です。医療の神様でもありますから、医療従事者の参拝にとくに適しています。国土経営の神様でもあり、日本の国を守り、繁栄させるために動かれています。

参拝する際には、日本の国の守りについて深く祈りを捧げましょう。至誠の祈りを捧げる人が増えていくことで、ご神徳が広く行き渡ります。誠の祈りを捧げることで、あなたの積善の道を開いていくために重要な良きご縁を次々に結んでくださることでしょう。

宗像大社（福岡県宗像市田島二三三一）

須佐之男命の剣から生まれた女神様がご祭神です。古代から、侵略に備えてきた神域であり、国の守りを固める神様でもあります。他国による侵略から日本の国が守られるように祈ると良いでしょう。日本の国が戦争に巻き込まれることなく、侵略を受けることなく、平和で豊かな国として繁栄し続けるようにお祈りすることが大切です。経済的な繁栄をもたらすご神徳も強いので、事業繁栄の祈りにも適しています。

霧島神宮（鹿児島県霧島市霧島田口二六〇八-五）

皇室の発祥の地に鎮座しているとおり、皇室弥栄、子孫繁栄のご神徳を中心として、日本国の繁栄に関するあらゆる働きを有する、九州最大の霊験のある重要神域です。とりわけ、子孫繁栄の加護が授かります。子宝を願う人はここに参拝することをおすすめします。参拝したら、国の少子化問題が解決し、子孫が繁栄するよう祈りましょう。

また、九州および沖縄周辺が侵略されたりしないように守る神様でもありますから、侵略が阻止されるように祈りを捧げましょう。

九州では、外国資本による水源地などの土地の買収が進んでいたり、特定の外国人が増えてきたりしています。この流れは、いずれ日本人の平穏な暮らしを壊していくものです。行きすぎたグローバル化が阻止されるように祈りましょう。

北海道神宮（北海道札幌市中央区宮ヶ丘四七四）

北海道を守る重要神域です。北海道もまた、外国資本による土地の買収が異常な速度で進められ、兵庫県の面積に匹敵する土地が外国の所有物となっている危険な状況です。国が内側から乗っ取られることがないように、国家の安全保障が盤石なものとなるように、祈りの誠を捧げてこの地を守らねばなりません。日本を分断し、弱体化させようとする勢力から、北海道が守られるように祈っていくことが大切です。北海道には、十三世紀にオホーツク海を渡って樺太からやってきたアイヌの子孫もいるといわれています。しかし、北海道には一万年以上前から縄文人が住み、本州と同じ縄文遺跡も残っています。十二世紀、つまり鎌倉時代にはすでに神社（北海道で最も古い神社は函館市の船魂神社。創立は一一三五年）もあり、日本人の固有の領土なのです。

波上宮（沖縄県那覇市若狭一－二五－一一）

創始年が不明なほど古い神域です。「われは熊野権現なり。この地に社を建てまつれ、しからば国家を鎮護すべし」との神託によって建立されたと伝わる神社です。現在の沖縄県は、安全保障上の大きな危機にさらされています。戦乱が起こらぬよう、侵略による災厄から守られるように祈りを捧げることが大切です。北海道も沖縄も、一万年以上前から縄文人が住んでいた土地であり、それぞれに縄文遺跡が残り、日本民族が古来から暮らし続けてきた日本固有の領土です。周辺の島々も含め、しっかりと守り抜いて子々孫々に伝えていかねばなりません。

神様に大きく動いていただく方法

推奨神社の神様はわたしたちの持つ、あらゆる願いを叶えるお力をお持ちです。結婚の願い、就職の願い、学業成就、病気平癒、人間関係の改善など、人間生活における理想実現を加護してくださいます。死者の霊の救済もなさいますから、**先祖の救済や自殺した身内の魂の救済についても、真心をこめて祈ることで叶えてくださる**のです。神様に大きく動いていただくためには、誠を捧げることが重要になります。神様に誠として受け取っていただくためには、わたしたちは何らかの労力や対価を捧げる必要があります。昔の人は、お百度参りをしたり、千日祈願をしたり、回数を多くおこなうことで誠を表現しました。その他にも、収穫した農作物を捧げたり、馬や武具や領地を寄進するなどして、誠を表現しました。奉納演武や奉納演奏というのもありますが、これもまた、神様に何かを真心こめて奉納するということです。

　これを現代人が実践可能な方法として、著者が提唱しているのが、**毎月参拝して、ご祈祷を受けるというお参りの仕方**です。氏神や産土や土地神といった古い観念で考えず、清浄なる神域として、推奨神社を選択することで、ハグレ眷属の悪影響を排除することができます。このことを重視し、正しく参拝して、大きな加護を授かってください。

　とくに、**初心者が陥りやすいあやまちは、一回や二回の参拝で、全部の問題が解決するかのように思ってしまうこと**です。そのように期待してしまう気持ちは理解できますが、神様が動かれても、人間の人生を好転させるには相応の時間が必要です。そもそも、その人がどうして人生に行き詰まったのか、それは、前世からの因果応報の結果であり、同時に、今生において、生まれてから今日までの本人のあり方の結果です。その意味では「すべては我が不徳の致すところ」ということです。そして、そのように現実面で行き詰まった人が、そこから人生を立て直すとしたら、当然、相応の現実的な手順、努力の実行などが必要となります。

　神様が応援してくださるとしたら、改善のための現実的な努力がひとつひとつ実行できるように守り導いてくださるところからです。何の努力もなく奇跡が起きたり、人生が突然、大開運するなどということはありません。**神様のご加護を授かるためには、推奨神社に足を運んで祈願するのと同時に、人としてのあらんかぎりの努力を前提とし、百日祈願、二百祈願、三百日祈願、千日祈願と、祈りを毎日重ねながら、現状を打開するための行動を継続することが不**

可欠です。もちろん、積善も実行して善徳を積んでいくことが大切です。

そのような生き方をつらぬいていれば、まさに天佑神助と呼んで良いような救いが、天の一角から降りて来るようにして、あなたの人生の上にあらわれてくるのです。

また、「ご祈祷料をこれだけ出したのだから、願いが叶って当然だ」というような考え方をしてしまう人もいます。これも、神様というものをあまりにも即物的に考えているといえるでしょう。そもそも、神様というのはお金を出したから動いてくれるという、どこかの業者さんではありません。神様は、ご祈祷料などのお金をわざわざ出して、正式にご祈祷の儀式を受けるという、その人の真心を受け取って動かれるのです。ご祈祷料として神社におさめた数千円は、その神社の運営のために使われます。神職や巫女の給与や光熱費、社殿の修復費など、現実界に神域を維持するには、どうしてもお金がかかります。これはキリスト教や仏教などでもまったく同じことでしょう。牧師や僧侶の給与、そして、教会やお寺の維持などは、信者による喜捨でまかなわれているはずです。

参拝者がそのことを理解し、「**この玉串を神社の維持費としてお役立てください**」**と感謝をこめて喜捨するのが、祈祷料の本質**です。それは、まさにチャリティであり、積善なのです。その積善の真心が神様に通じて、神様が動かれるということです。それなのに、まるで「地獄の沙汰も金次第」といった気持ちで祈祷料を出すようであれば、そこにはまったく真心がこもりません。

このような気持ちで参拝しても、神様はほとんど動いてくださらないでしょう。また、参拝をたんなる行事、通過儀礼のような気持ちでおこなう場合も、反応は乏しいでしょう。神様は、祈りを捧げる人の誠を受け取って動かれる、という原則を忘れてはならないのです。どうすれば、神様に誠が届くかを考えて、神様と向き合うことが大切です。そして、結果が出るまでに相応の時間もかかるということを、きちんとわきまえて、**焦りを捨て、神様と二人三脚で人生を歩んでいくような気持ちで、じっくりと、参拝や祈りに取り組んでいくことが大事です。終生の道とするのが理想的です。**

神様や守護霊団の加護を強化するためのもうひとつの極意は、「すべてを感謝で受けとめる」という心がけを持つことです。たとえば、遠方の推奨神社に参拝に出かけた帰り道に、自家用車をガードレールにぶつけてしまうという災難があったとします。こんなとき、「せっかく神社にお参りしたのに嫌な目に合った」と不平不満に思うことは間違った受けとめ方です。そうではなく「**これはきっと神様が大難を小難に変えて救って下さったのに違いない。神様、お守りいただいてありがとうございます**」と受けとめるのです。どんな災難やトラブルがあったときもこんな調子で大難が小難になって救われたのだと解釈する心がけを持つのです。これは霊界から見ればまさに真実であって、あなたは常に守られて難を逃れているのです。このことを悟り、感謝の心で生きるようになれば、あなたは、いっそう守られて開運していくのです。**神仏の加護によって人生を好転させていくためには、目の前の出来事をどう解釈すれば感謝で受けとめることができるか、ということを常に考えていく**ように心がけましょう。

以上は基本中の基本ですが、神様とのおつき合いのノウハウにはまだまだたくさんのポイントがあります。紙面の都合上、これ以上紹介できないのは残念です。全国の推奨神社の詳細とその活用方法に関してさらに詳しく知りたいと思われた方は、「ヒプノセラピー研究所グングニルの工房」（著者のホームページ）を検索してみてください。

コラム4

皇室の話

国運は、その国の元首の運気と連動しています。日本における元首は天皇です。歴史的にも、天皇家は二千年以上前から存在していて、政治をつかさどる長を任命してきたのは天皇でした。源頼朝や足利尊氏や徳川家康に、征夷大将軍の官職を授けたのは天皇です。今も、内閣総理大臣を最終的に任命するのは天皇です。日本国の元首は天皇であり、皇室の繁栄はそのまま日本の国運隆昌につながっています。天皇という中心があったおかげで、二千年以上にわたって、日本は国としてまとまってきたのです。

日本は、世界最古の国としてギネスブックにも記載されています。皇室の歴史は、確実に実在が判明しているだけでも千八百年を超える長さであり、この部分だけでも、世界に類例のない古さです。西暦二〇二〇年は、皇紀二六八〇年です。皇紀とは、初代天皇である神武天皇が即位した年（建国の詔を発した年）から数えています。皇室は、世界でもっとも古いロイヤルファミリーなのです。

アメリカ合衆国の建国は西暦一七七六年ですから、二百四十年余りしか歴史がありません。中華人民共和国の建国は西暦一九四九年ですから、こちらは七十年余りです。

皇室と国民の関係は、西洋における王と国民の関係とは全く違います。たとえば、第十六代の仁徳天皇の時代、飢饉で食べ物に困る民の様子をご覧になった仁徳天皇は、税を納めることを数年間免除し、減税によって困窮する国民を救いました。税を免除した期間、皇宮は修理もできず雨漏りし、皇族の衣食にも苦労したと伝えられています。このように、民を大御宝（おおみたから）として、国民の幸福を天地神明に祈り続けることが、天皇の本来のお役目なのです。

その精神は現代の皇室にもしっかりと継承されており、今も皇居にある宮中三殿においては、天皇陛下が国民の平穏と弥栄（いやさか）を天地神明に祈り続けておられます。**日本国民を代表して、神様に祈りを捧げる祭祀王の立場こそが天皇という存在の本質です。**祭祀王ですから、ローマ教皇のような役割であるともいえます。

本質を理解すれば、皇室の安泰を祈ることは、そのまま日本の国の安泰につながると理解できるでしょう。二千年以上も祖先が守り続けてきた皇室という国の宝を、わたしたちは次世代へ無事に受け継いでいかねばならないのです。それは、ローマ教皇を断絶させてはならないのと同じです。

現在、皇室には大きな危機が迫っています。二千年以上にわたり維持されてきた男系継承の不文律が、今後も守られるかどうかという問題です。**天皇とは、系図の上で父親を順にさかのぼると、必ず初代天皇である神武天皇につながる存在**なのです。

しかし、現在の皇室には、次世代を担う若い男子皇族が、悠仁親王殿下お一人しかおられません。そのため、男系継承の維持に不安が出ています。悠仁親王殿下が皇位継承されたとき、天皇を支える男子皇族が一人もいないのです。このようなことになったのは、日本が敗戦し、アメリカに占領されていた時代に、十一の宮家が皇族から離脱させられたからです。これは、皇室をやがて滅ぼそうという占領軍の悪だくみによるものでした。十一の旧宮家も系図の上で父親をたどると神武天皇につながり、皇位継承の資格を持っていた方々です。

これらの**旧宮家は今も続いており、悠仁親王殿下のまたいとこに当たる男子五名は、明治天皇の孫と昭和天皇の娘が結婚して生まれた、血縁が濃い三人の男性のお子様方です。**この方々のうち、皇族復帰の意志のある方を五つの宮家へ養子縁組の形で皇族に戻せる特例法を制定することで、男子皇族の数は安定します。旧宮家の発祥が一四〇〇年代であることを問題視して「六〇〇年前に分かれた人が戻ってきても本当の万世一系といえるの？」と発言した政治家もいますが、皇室に何の関係もない一般人の男性が婿養子として皇室に入り込むほうがよほど問題であり、明治天皇の孫と昭和天皇の娘が結婚した子孫のほうがよほど現皇室と濃い血縁があることはいうまでもありません。

しかし、これに対して、女性宮家を創設しようと画策している勢力があります。女性宮家とは、皇族女子が宮家をつくるということであり、実現すれば、**系図の上で父親をたどっても神武天皇につながることのない皇族が誕生する危険があります。このようなことは歴史上、一例もなかったことです。**

過去に、女性が天皇に即位することはありましたが、女性天皇は終生独身を守り、次の男子皇族への中継ぎ役を果たされたのみです。こうしたことを、今の時代の皇族女子に強要できるものではありません。女性宮家を認めたら、女性宮家の配偶者として、神武天皇につながることのない男性が皇室に入り込むことになるのは必至です。

その夫婦から生まれた子がもし皇位に就けば、その天皇は系図の上で父親をたどっても神武天皇につながりません。これが女系天皇です。女系天皇を生み出す土台として女性宮家を創設しようとする人々は、最終的には、神武天皇に男系でつながっている皇室の廃絶を目指しているということです。

側室がないと男系継承は不可能と主張する人もいますが、これは誤りです。歴代天皇の正妻の嫡子をすべて調べたところ、乳幼児死亡率が現代並みに低ければ、一夫一婦制で男系継承は可能だったと結論づけられています。また、実際にフランス王室は、一夫一婦でフランス革命まで約千年間も男系継承を続けていました。キリスト教国であるために側室制度がなかったフランス王室も、本家と分家で男系継承を維持していたのです。この事例からもわかるとおり、**男系継承を支えるのは側室ではなく傍系の宮家です。本家と複数の分家の体制があれば、男系継承は十分に維持できるのです。**

　女系派は、皇祖神が天照大御神だから出発点が女系なのだと主張しますが、天照大御神の子は天照大御神から皇位を継承していません。皇位を代々継承するのは初代の神武天皇からの話です。『古事記』では、神が単独で生んだ神を「成りませる」神、男女が結ばれて生まれた神を「生れませる」神と表現し区別しています。はじめての「生れませる」神である天孫ニニギノミコト以降、男系継承が維持されています。神話の時代から男系継承が守られているのです。

　女系天皇や女性天皇を認めないのは男女差別だという人もいますが、これもおかしな理屈です。ローマ教皇は代々、男性がなる伝統ですが、このことについて男女同権だから女性もローマ教皇にならせろと文句を言う人はいません。**日本の皇室の場合は、女性は民間から嫁ぐことで皇族になれますが、男性は婿養子として民間から皇室に入ってくることができないのです。**これは、伝統であって、祖先の叡智によって守られて来た不文律なのです。生物学的に言えば、神武天皇のＹ染色体が代々継承されているということです。Ｙ染色体とは男性だけに継承される遺伝子であり、父から息子へと受け継がれる仕組みです。初代天皇である神武天皇の実在は疑わしいとする学説もありましたが、最新の研究では実在は濃厚です。その詳細は、長浜浩明氏の『日本の誕生〜皇室と日本人のルーツ』（ワック）をぜひご参照ください。この本を読むと、**皇室（大和朝廷）と邪馬台国はまったく別の存在であり、卑弥呼は皇室とは無関係**であることもわかります。邪馬台国は北九州にあった地方勢力に過ぎず、大和朝廷に併呑され消滅したのです。

皇統断絶の危機から皇室が守られ、二千年以上維持されて来た男系継承の不文律がこれからも確実に守られるように祈りましょう。皇室は日本の霊的中枢であり、日本が日本であり続けるための扇のかなめが天皇という存在です。皇室弥栄を祈ることは、日本の国運隆昌につながっているのです。そして、**愛国心を持って祖国日本を守るために、救うために、祈ることは最高の積善**となるのですから、その積善によって自分自身も開運していくことでしょう。

第五章

積善造命法の実践

☆魂の黄金法則⑦

「他人を軸とする生き方」から「自分を軸とする生き方」にシフトし、さらに、「神様を軸とする生き方」を極めるのが魂向上の道。

☆魂の黄金法則⑧

自由意志こそが人間の中の神様。人間は試行錯誤のなかで魂を磨いて万能自在、完全円満な存在に近づいていく。ゆえに占いや霊能力に依存することは魂の向上を妨げる。

1．対人関係の苦悩を解消する方法

自分を軸とする生き方

積善の生き方を実践するとき、対人関係の苦悩に対してどのように対処していくか、という問題が重要になってきます。わたしたちは魂の向上のために、この世に生まれてきているのですから、そのために自由意志を正しく発揮しなくてはなりません。積善をおこなうのも自由意志の発露としてのことであるし、努力をするのも自由意志の発露としてのことです。

ところが、対人関係となると、相手の自由意志がそこにからんできます。家族であれば、父親、母親、兄弟姉妹、配偶者。職場であれば、上司、同僚、部下、顧客。学校であれば、学友や教師など、さまざまな自分以外の人間の自由意志の流れのなかに身を置かねば、この世で生きていくことはできません。

そこで、魂の向上という観点から、対人関係にどう対処すべきかを考えてみましょう。

もっとも重要なことは、「自分を軸とする生き方」を考え方の中心に置くということです。この反対は、「他人を軸とする生き方」です。それぞれ、どのようなものかを解説します。

「自分を軸とする生き方」とは、生きていくうえでの価値判断の中心に自分の自由意志を置くものです。自分の生き方や人生観、そして自分の人生をどのようにしたいのかということについて、自分の自由意志をしっかりと働かせて、物事を選択する生き方です。自分を軸とする、というと、エゴイズムや自分本位、自己中心といったものと混同する人がいますが、そうではありません。

エゴイズムや自分本位、自己中心な心には、愛の念、利他の想いがありません。積善などできない思考です。冷たい心であり、暗い心です。このような自己中心的な心で生きれば、死後は、地獄界に近い世界に行くことになるし、カルマの負債が増えるので、来世も幸せになることは難しくなります。

一方、「自分を軸とする生き方」の場合、けっして、愛と真心をなくしているわけではありません。他者への思いやり、気配り、愛の念がしっかりとありながら、同時に、自分自身の尊厳も大切にしている状態です。自分を幸せにできない人間が他者を幸せにすることはできません。自己犠牲でもなく、エゴイズムでもありません。自分という存在に対して、自己の魂の尊厳をいつも尊重できる状態です。だからこそ、自分の自由意志をしっかりと尊重して、他者に対応ができるのです。必要なときには「NO」と言うこともできますし、自分の意見を表明することもできます。同時に、相手への配慮もできるのです。

ここで重要なのは、**他者にどう思われるかについて、基本的にこだわらない**という姿勢でいることです。自分のことを他者がどう思うかという問題は、自分の課題ではなく、他者の課題だからです。ですから、他者の思惑に振り回されたり、他者に良く思われようとして自分の本心を押し殺したり、自分の意志に反するおこないをしたりはしません。他者のコントロールの支配下に陥るということはないのです。

これに対して、**「他人を軸とする生き方」の人は、常に他人にどう思われるかばかり考えて生きています**。世間の評判や体裁、周りの人からの評価ばかり考えています。その結果、他人の思惑にしだいに縛られていきます。そして、いつのまにか、自分の自由意志を発揮して生きるということができなくなってしまいます。我の強い誰かの支配下に陥ってしまうのです。

家庭においては、夫の理不尽な命令の言いなりになっている妻、妻の言いなりになっている夫などが典型的な例です。親の言いなりになっている子供や、上司や先輩の言いなりになっている人も「他人を軸とする生き方」にはまり込んでいます。ブラック企業を退職することもできず、会社に縛りつけられたようになっている人も「他人を軸とする生き方」に陥っているのです。

このような対人関係のあり方は、積善とはなりません。一見すると、相手を喜ばせようとしているように見えますが、これは積不善の一種です。

理不尽な要求なのに、それに従うということは、自分のなかにある魂の尊厳を自分で傷つけていることと同じです。ここでいう理不尽な要求とは、「ハラスメント」と認定されるようなものを指しています。相手に愛がなく、自分本位な言動で、こちらを支配しようとしている場合、それに抵抗し、「NO」と言うことで、自己の尊厳や人権を守らねばならないのです。

その結果、ハラスメントや理不尽な要求を突き付けてくる相手とのあいだに、関係の悪化があったとしても、自己の尊厳を守るために戦わなければなりません。拒絶することで相手が怒るとしても、それは相手の課題であり、あなたの課題ではないのですから。

もちろん、できるだけ争いが避けられるように、会話の表現を工夫するなどして、衝突を避けることも必要かもしれません。しかし、それでも相手が攻撃してくるとしたら、それは相手が悪いのであって、あなたが悪いわけではありません。もし、職場でそのようなことがあるなら、ハラスメントとして訴えることも必要となるでしょうし、夫婦であれば、離婚して自分を守らねばならないこともあります。親子の場合も、いわゆる毒親と呼ばれる理不尽な要求を繰り返す親から自分を守るため、親と離れて、疎遠にするほかないこともあります。親と疎遠にすることに罪悪感を感じてしまう人もいますが、親が親らしくない言動をする場合は、親孝行をすることは難しいのです。そんな親があなたを親不孝者だと責めたとしても、それはあなたの課題ではなく、親の側の課題です。

積善の第一歩は、自分の魂の尊厳を守ることです。それができてこそ、周囲の人々の幸せを考えて積善をおこなうことができるようになります。他人の思惑に振り回される生き方では、けっして幸せになることはできません。「他人を軸とする生き方」では、本当の積善がおこなえないからです。自他共楽（自分も他者も幸せになる）が理想的ですが、他者が理不尽な言動を仕掛けてくる場合は、自分を守ることを優先しましょう。

「自分を軸とする生き方」を確立したうえで、積善を心がけていくのが正しいあり方です。そうすれば、たとえ一時的に混乱があっても、最終的には自分も幸せとなり、周囲の人も幸せとなるような方向に物事が動いていくことになります。

神様を軸とする生き方

「自分を軸とする生き方」は、魂を磨いて積善するための基本の心構えです。そして、そのさらに上の境地が「神様を軸とする生き方」です。「自分を軸とする生き方」が実践できなければ「神様を軸とする生き方」は会得できません。「自分を軸とする生き方」の延長線上にあるのが、「神様を軸とする生き方」です。

これは、**わたしたち人類が宇宙創造主の全知全能、万能自在、多芸多才の方向を目指して、魂を磨くためにこの世に生まれてきていることを悟る**ことからはじまります。この悟りを土台に、神様の御心に適う生き方をしようと志を立てるのです。

そして、自分が生きていくなかで直面する、あらゆる問題に対して、「神様の御心に適う生き方」をものさしにして、最善の選択をしていくのです。そのなかには、精進努力、愛と真心、利他積善の実践も含まれています。同時に、自分の魂を大切にすることも含まれますから、「自分を軸とする生き方」にも適合します。生きる指針が「神様を軸とする生き方」になっていれば、他人からどう思われるかなど関係なくなります。

神様の御心に適う道であれば、誤解されて他者から悪人呼ばわりされても、誹謗中傷されても、批判されても、バカにされても、まったく気になりません。他者の思惑に左右されたり、世間の体裁を気にしたりといったことに、自分の行動が支配されることもありません。世間にどう思われるかなど、どうでもよい問題であると思えるようになるのです。

ここまで到達した状態を「普遍的信仰心」と呼びます。**「普遍的信仰心」**すなわち、**「神様を軸とする生き方」が身に着いたら、この世における、あらゆる人間関係の苦悩から脱却する道**

が開くのです。これはほんとうの意味での「我を捨てた境地」であるといえます。

この境地には、一朝一夕にはなれないかもしれませんが、立志発願をして、生涯をかけて「神様を軸とする生き方」を目指し続けることはできます。

そうした心がけの人が、推奨神社で自分の対人関係のトラブルや行き詰まりの解決を祈願することがあれば、神社のご祭神様はたちまち感応されて、大いなる加護の神力を発動されることでしょう。

神様があなたの祈りを受け取ってくだされば、問題のある人物が改心したり、職場から去ったり、誤解が解けて和解できたりと、最善の結果に導かれることでしょう。その人との縁がどうしようもない悪縁の場合は、縁が切れるように導かれます。悪縁が切れて、入れ替わりにすばらしいご縁の人があらわれ、問題が解決していくのです。

人間関係のトラブルは、一度の参拝、祈祷で解決するものではないので、解決まで毎月参拝して、祈り続けることが大切です。前述したように、日々の祈りを実践し、百日祈願、二百日祈願、三百日祈願、千日祈願という長期目線で、取り組むことです。祈るときには、愛の心で、自分の幸せだけではなく、周囲のすべての人々が幸せになるように祈ってください。**たとえ悪意に染まったり、悪事に走ったりしている人であっても、「その人が改心して正道に戻るように救ってください」と、愛の心で祈るのです。**愛の心から発した祈りだけが神様を動かすということを忘れてはなりません。

また、ご祈祷を受けた際にもらった祈祷札を神棚にお祀りして、毎日お祈りを積み重ねていくことで、運命はしだいに好転します。守護霊への祈りについても、神棚でのお祈りの際にまとめて祈ってかまいません。

神仏の加護を強化して、対人関係の災いを大難から小難に変えていくのが、対人関係の苦悩を脱却する根本的な方策です。

神仏の加護とは、どう祈るか、どう向かうかによって大きな差が出ます。「困ったときは神頼みすればいい」という安易な考えでは、奇跡は起きません。「大学に合格するには受験勉強をすればいい」とだけわかっても、勉強の正しいやり方、効率のよいやり方を知って実際に勉強を積み重ねて学力をつけないことには、成果につながらないのと同じです。

価値観や思想の違う人とどう向き合うか

価値観や人生観が大きく異なる人と関わるとき、「自分を軸とする生き方」が確立されていないと、大きなストレスを受けることになります。適応障害や、うつ病で苦しむ人は、対人関係でのストレスにさらされて発症していることが多いのです。職場の人間関係であったり、家庭の人間関係であったり、起こる場所はさまざまです。
対人関係に苦しむ状況に身を置くときには、**自分の課題と他者の課題を明確に分離し、他者とのあいだにしっかりと境界線を引いて、自分の軸を守ることが大切**になります。周囲の人々に善意で接して、愛と真心に基づく積善をおこなうことは、人生好転のために不可欠ですが、それは、同時に他者との課題の分離を確実に実行して、心の境界線を引いた上でおこなう必要があります。

そうしないと、不安定な他者の思考や感情にしだいに影響されて、自分自身の思考や感情も乱されてしまうことになります。「朱に交われば赤くなる」という言葉のとおり、周囲に影響されて、自分のレベルも引き下げられることになってしまいます。それを防ぐためにも、しっかりと境界線を引いて、自他を分けて対処しなければなりません。

それが難しい場合には、**その環境からいったん離脱することで、自分を救わねばならないこともあります**。職場や学校であれば、転職や転校で苦悩から解放される方法もあります。また、夫婦や親子であれば、離婚したり、距離を置いて、別々に住むことでストレスを軽減させることができます。このような自己救済のための離脱行動は、自分の魂の尊厳を守るための現実的努力なのです。

人間関係の苦悩のほんとうの原因は、自分自身の前世からのカルマの負債ですから、その負債がなくならないかぎり、環境を変えても似たような現象が起こってきます。それでも、環境を変えることは一時的に問題を解決して、次のチャレンジのための精神力の充電ができるメリットがあります。

また、次にまったく同質の試練が来ることは少ないです。多くの場合は、一度目よりも若干、軽減された試練が来ることになるでしょう。なぜなら、苦しむことで負債の返済が進むからです。一度目の試練で苦しんだ分、負債が減ったとしたら、二つ目の試練がやってきたとしても、その苦悩の程度は、一つ目の試練よりは縮小されたものになっていきます。ですから、**幼少期や思春期、あるいは若年期に試練が多かった人は、その後、しだいに開運していく**ことになります。

カルマの負債についてわかりやすくたとえるならば、旅人が大きなリュックを背負って長い道のりを歩いている様子をイメージするとよいでしょう。そのリュックの中には石ころがゴロゴロとつめこまれています。ひとつ嫌なことがあるたびに、リュックの中から石ころをポイと捨てていくのです。石ころの数にはかぎりがありますから、旅を続けていくうちに、しだいにリュックの中身が減って身軽になっていくのです。最終的には、リュックは空っぽになります。

前世からの負債はかぎりあるものです。新たな悪事を重ねて積不善をしないかぎり、前向きに努力して生きていくうちに、負債は少しずつ減っていきます。それゆえ、人生の前半を苦しんですごした人ほど、人生の後半では開運して、幸せになれるのです。

サイコパス等の人への対応

サイコパスや反社会性パーソナリティ障害などのような、対応の難しい特殊な人格を持つ人のことはどう考えていけばいいのか、と質問されることがあります。**サイコパスとは、非常に利己的で、自分のことしか考えない人格**です。人をだましても良心の呵責を感じることがないため、ありえない嘘をついたり、とんでもない犯罪を平然とおこなう人もいます。自分の非を認めず、自分を被害者に見せかけることがうまく、巧みな言葉で人をだまします。慈愛の念に乏しく、冷淡であることも特徴です。一説には、百人に一人の割合でサイコパスが存在するといわれています。

こうした人たちの魂は、生まれ変わりの回数が少なくて未熟なのです。未熟であるゆえに、愛を知らず、誠実を知らず、神を知りません。因果応報の法則のことも、知識として知っていたとしても、魂のレベルで体得していないのです。**計算高くて言葉巧みであるのは、その種の能力だけを前世で磨いてきたからに他なりません。歪(いびつ)に発達した魂です。**

しかしながら、未熟で歪な魂も、因果応報の作用を受けて、何度も生まれ変わるうちに成熟し、やがて円満な人間性を持つようになります。愛を悟り、神の真、善、美を悟るためには、一度地獄界に落ちて厳しい修業を経て反省し、そこから生まれ変わってくることが必要です。試練と苦難の人生を歩むなかで、少しずつ、完全円満な人格に向かって成長していくのです。何度も生まれ変わって、ようやく健全な魂になれるということです。

ですから、わたしたちがサイコパス的な人を善導しようとしても、報われないことが多いでしょう。愛や善意をまっすぐに受け取ることができないほど魂が未熟なので、こちらの親切心に付け込んで利用しようとすることもしばしばです。

彼らに悪徳を重ねさせないためにも、利用されぬよう、だまされることがないよう、知性と教養を深めて、人を見抜く目を養うことが大切です。危険な人物だと見抜いたら、すみやかに距離をとって、被害を受けないように身を守らねばなりません。社会的には、このような人を善導する教育機関や更生システムをつくりあげることが理想ですが、現実的には、社会がまだそこまで成熟していない以上、それぞれが、自分の身を守ることを優先すべきです。

「類は友を呼ぶ」の法則のとおり、わたしたちが積善の道を歩み、神様や守護霊のご加護厚き人となっていくならば、邪悪な人とは波長があわなくなりますから、この種の人物による災いを被る頻度はしだいに減少していきます。積善の道を歩めば歩むほど、わたしたちを取り巻く周囲の人間関係が変化していくからです。

邪悪な人、未熟な人、衰運の人は、しだいに遠ざかっていき、善良な人、誠実な人、明るくて運のいい人が周囲に増えてくるようになるでしょう。そうした人間関係の変動は、積善の道を実践して、五年、十年と、歳月を経るほどにあらわれてきます。数年程度では大きな変化を実感できないかもしれませんが、そこでくじけることなく地道な実践を続けていくと、あるときから霧が晴れたように人間関係が変わって、開運していきます。

保守思想と革命思想

世の中にはいろいろな思想がありますが、正しき積善の道を歩むためには、保守思想と革命思想について理解をしておくことが大切です。生まれ変わりについて理解し、因果応報について理解し、宇宙創造主が人類をどの方向に導こうとされているかを理解すると、**保守思想こそが、もっとも魂の向上の道に沿った考え方**であるとわかってきます。

保守思想とは、伝統や秩序を重んじ、道徳を発達させることで道義国家をつくろうとする考え方であり、祖先から継承してきた歴史や伝統を大切にします。この考え方であれば、社会のなかに秩序と調和が常にあって、道徳によって社会が改善されていく形で人類社会が発展できるのです。無益な戦争が起こることもないし、革命の流血もありません。自由主義、民主主義とは、この方向に進むべきものです。

これに対して、革命思想とは、共産主義や社会主義に代表される思想です。社会の上下関係をひっくり返し、革命を起こして、戦争の流血によって全体主義の国家をつくり出そうとします。そのために差別撤廃を叫び、人々の嫉妬心を煽り立て、階級闘争によって社会の混乱を起こそうとします。一見、正しいことを言っているように聞こえますが、その理想の実現のためには手段を選びません。反対意見を持つ人々を粛正と称して虐殺したりします。また、少数民族を弾圧したり、周辺国の領土を平然と侵略したりします。民主主義の国家に工作員を送りこんで国民を拉致したり、金の力で政治家を買収して内政干渉しようとします。

世の中を改善したいと思うとき、保守思想をベースにして行動するのか、それとも、革命思想をベースにして行動するのかで結果に大きな違いが生じます。神の経綸によって、人類は最終的にひとつにまとまるときが来ますが、それはけっして、全体主義の独裁国家による支配ではありません。世界中の国が、自由や人権が保障された民主主義の伝統国家として成熟し、それぞれの国の特性を保持したまま、自然に連邦政府のような形でまとまるのです。

その未来は、遠い先のことであり、**当面の人類は、地球上にいまだ残存する全体主義国家による他国への領土侵略や、工作活動による内部侵略と戦っていかねばなりません。**それら革命思想の担い手たちは、巧みな情報戦を仕掛けて、テレビや新聞などのマスメディアを操り、民主主義の国家を破壊しようとします。とくにこれからの世界情勢は、グローバリズムが終焉し、世界の国々が二つの陣営にふたたび分離して、対立が続いていくのかもしれません。二つの勢力は、相互に情報戦を繰り広げていくことになるでしょう。

人類の平和や国の平和について祈るとき、このような危機から国や国民が守られ、救われるように祈願していきましょう。わたしたち日本人は、第一に足元である祖国日本を守るために力を尽くし、平和と安全のために寄与するべきであり、それが積善の道です。わたしたちは、ひとりひとりが、選挙権を持っています。この選挙権を行使して、日本の尊厳と国益を守る政治家が活躍できるようにすることが大切です。

とくに心配されるべきことは、義務教育の歴史教科書の記述が左傾化している点です。日本の歴史を自虐史観で説明したような教科書が多く見られます。これは、教科書執筆者や文科省の教科書検定官の中に、偏った思想を持つ人が多いためであるといわれています。**自分の祖国を悪く言うような歴史教科書で教えられていては、愛国心を持つ次世代が育つことはありえません。**

たとえば、考古学の研究が進んだおかげで、水田での稲作は紀元前十世紀（約三千年前）からおこなわれていたことが、佐賀県唐津市の菜畑遺跡などの発掘で明らかになっています。ところが、歴史教科書ではいまだに紀元前三世紀に朝鮮半島から来た渡来人が稲作を伝えたと記述されています。これは誤りであり、事実は、そのはるか前から日本人は稲作を独自にはじめていたのです。

「現代日本人の先祖は大挙してやってきた渡来人と縄文人の混血」といった説は、現在では科学的に否定されています。たとえば、日本人にだけ存在するY染色体の中のD1bという遺伝子が発見されています。このD1b遺伝子を中国人や朝鮮人は持っていません。**日本民族と、大陸の人たちは、遺伝子的にもまったく別の民なのです。**このような新たに発見された事実は、現行の歴史教科書に反映されていないのです。

日本の歴史はいまだに邪馬台国の卑弥呼から始まったかのように記述されていますが、最新の研究では、**邪馬台国とは北九州の地方国家に過ぎず、大和朝廷とはまったく別の国**であることが判明しています。長浜浩明氏の『最終結論「邪馬台国」はここにある』（展転社）には、最新の研究成果が詳しく解説されているのでおすすめです。**日本の歴史教科書ならば、本来は初代天皇である神武天皇の事績から書きはじめられるべきではないでしょうか。それらの事績は『日本書紀』に明記されているのです。**

歴史教科書は、まるで国民に真実を知らせることを隠蔽したいかのように、旧態依然とした古い記述のままです。どのような人々がこれらの教科書を執筆しているのかについて、思いを致す必要がありそうです。自虐的な歴史観を持っていることで自国に誇りを持つことのない国民が増えますから、このままでは、国力も減退するばかりです。ほんとうは、万世一系でつながる皇室という世界最古の王朝を戴き、建国以来、いずれの国の植民地にもなったことがないのがわたしたちの祖国日本なのです。**悪しき流れが良き流れに変わって、祖国日本が守られ、よりすばらしい国になっていくように、わたしたちは祈っていかなければなりません。**

2. 良縁、結婚、夫婦円満・子育ての問題

パートナーシップと魂の向上

夫婦とは、もとは他人であった二人が家族となったものです。この夫婦の道は、魂を磨くうえですばらしい課題となります。夫婦とは、互いに魂を磨きあい、高めあうために縁が結ばれたものです。

夫婦になる縁は、そのほとんどすべてが、前世でも身近にいた人です。前世でも夫婦であったとか、恋人、親子、兄弟姉妹、親友、同志、上司と部下、先輩後輩、といった縁です。なか

人間は神の分魂を有し、分かれると再び合体はしない

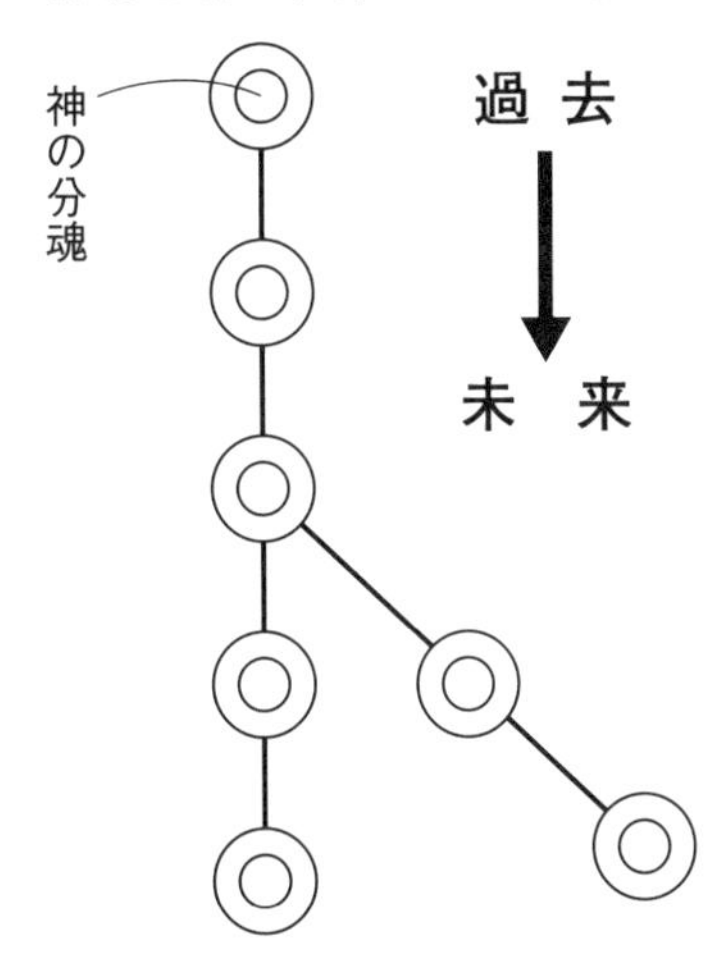

人間の魂の生まれ変わりと進化

には前世で敵同士というケースもあります。**前世で助けあい、支えあうような関係性であった二人が今生でも夫婦となる場合、前世と同様に今生でも助けあい、仲が良い場合が多いです。**一方、前世で非常に仲が悪かったり、争った敵同士だった二人が、和解を課題として今生で夫婦になることもあります。その場合は、二人のあいだには諍いや葛藤が多くなりがちです。

　夫婦だけではなく、家族など身近な人の多くは、前世でもかかわりがあった魂であることが多いです。というのも、魂たちは、同じような集団がグループで生まれ変わることが多いからです。グループの構成員は、毎回すべて同じということはなく、魂ごとの学びの段階によってメンバーの出入りがあって、立

ち位置も微妙に変わっていきますが、核になる構成員はおおむね同じメンバーになります。これがソウルメイト（魂の友）です。

ソウルメイトと似た言葉に、ツインソウルという言葉があります。ツインソウルという概念は、もとは一つの魂だったものが、二つに分かれ、それが再び一つになるのだといった内容です。

ツインソウルはまったくの妄説です。

一つの魂だったものが、数人に分かれること（分魂）はありえます。たとえば、同時代に生きる数名が同じ前世の記憶を内包しているという事態です。しかし、そうして分かれた魂が、また合体して一つになることはありません。いったん分かれたら、そこからそれぞれが新しい個となり、それぞれの生まれ変わりの旅に入っていくのです。

さらにいえば、分魂が夫婦や友人などといった近しい関係になることはまずありません。それぞれが違った環境で可能性を伸ばしていくために、まったく違う場所や国に生まれて、出会うことのないまま生涯を終えるのが通常です。生まれてくるタイミングなどもかなりずらしていることが多いようですから、**男女がツインソウルで結ばれるなどという巷のスピリチュアルのお話は、まったくの絵空事**なのです。

親子や兄弟姉妹、そして夫婦であっても、前世で敵対していた者同士などの課題のある場合、お互いに、前世から持ち越した負の感情を抱えています。そのため、葛藤や衝突を繰り返しがちになります。無意識に感じる怒りなどの感情の根源に、前世から持ち越した思いがあるのです。そして、因果応報の作用で貸し借りの清算がおこなわれます。前世でいじめられた側が今生ではいじめ返したり、前世で恩を受けた側が、今生で恩を返したりといった形であらわれます。

ほんとうは、その葛藤や衝突からお互いが学び、理解しあい、許しあうために出会っているのです。しかし、こうした課題を持つ関係の場合は、一定の学びを終えると、関係の解消に至ってしまうこともあります。疎遠になったり、離婚する結果となる場合もあるということです。ですから、離婚は善悪の問題ではありません。和解ができて、夫婦として人生をまっとうできることもあれば、その反対に、離婚することでお互いが解放され、その後、かえって幸せになることもあるのです。

夫婦が離婚すべきかどうか迷ったときに、判断の基準とすべきことは、あなたが「自分を軸とする生き方」を選択できているかどうかです。耐えることで自分を押し殺して苦しむ結果となるなら、それは、自分の魂に対する積不善となります。

そもそも夫婦とは、相互に夫婦であり続けようとする意志を持たねば成立しません。夫婦であり続けようとする意志のなかには、当然、相手への思いやり、愛情なども含まれます。この人をパートナーとして人生を共に歩んでいこうという明確な意志が継続していて、相手への思いやり、愛情が発揮できているとき、はじめて夫婦としての関係が維持できるのです。

葛藤や行き違いがありながらも、こうした条件を満たしているならば、夫婦として、これからも魂を磨きあう関係が保てます。しかし、相手に夫婦であり続けようとする意志がなく、あなたへの思いやりもなく、愛情も感じられない場合、あるいは、モラハラなどの行為が平然とおこなわれる場合は、自分の魂の尊厳を守るために離婚すべきです。相手の言葉、行動を観察すれば、これらのことを判断できます。とくに行動を観察すれば、本質がわかります。言葉でどれだけきれいごとを述べて飾っても、その人の行動様式はごまかすことはできないからです。

離婚すべきときは、勇気をもって一歩を踏み出し、自分を守るべきです。

子供がいる場合、子供に迷惑がかかるので離婚に踏み出せないと悩む方が多いようです。確かに、子供から見れば、両親がそろい、円満であれば理想的ではあるでしょう。幼児期の子供の場合はとくにそうで、父母の愛情があることは理想的です。

しかし、たとえ父母がそろっていても、夫婦喧嘩を繰り返す毎日であったり、親から子への暴言、暴行、束縛、虐待、無視などが日常的にあるとしたら、それは理想とはかけ離れたものです。そんな環境であるなら、むしろ離婚して、問題のある親から離れるほうが子供の救いとなるでしょう。

別れるべきかどうかでどうしても悩む場合には、前世療法を受けて、夫婦の前世の因果を知ることも有益です。

親と子のかかわり方については、親から子への接し方が共感的、受容的であれば、子供の心は健全に育ちます。

共感的とは、相手の感情について理解を示すことであり、受容的とは、拒絶や否定ではなく、相手を包み込むように慈しむことです。

親が子供の魂の尊厳を重んじ、子供の人格を認め、尊敬の気持ちで接するならば、子供もまた親を敬愛するようになり、親孝行の気持ちが自然に育ちます。**共感的、受容的というのは、言い換えれば、「勇気づける」ということです。**子供を肯定し、認め、その可能性をどこまでも信じて育てていくのが親の務めです。

「勇気づける」どころか、その勇気をくじくようなダメ出し、否定、無視、暴言を子供にぶつけるとしたら、子供は親の愛情が欠乏した状態となります。これが「愛着障害」と呼ばれるものにつながっていきます。**愛着障害を抱えると、対人関係を健全に構築することができなくな**

ります。その結果、子供が成長してから、対人関係で苦労ばかりするようになってしまいます。学校での人間関係で行き詰まって引きこもりになったり、社会に出ても、上司、同僚、部下と良好な関係を築けず行き詰まってしまいます。恋愛をしても、自分を不幸にしてしまうような相手とばかり交際したりするのです。

愛着障害が土台となって、人格の発達に歪みが生じることもあります。その結果、思春期以降に「パーソナリティ障害」になることもあるのです。

こういったことを考慮すれば、子供を理由に離婚を思いとどまることは必ずしも最善とはいえないことがわかります。むしろ、子供を救うために離婚すべき状況もあるといえるでしょう。

たとえ離婚したとしても、あなたが子供に対して深い愛情を注いで、受容的、共感的に育てていく努力をすれば、子供には必ずその気持ちが通じます。親の離婚をひとつの試練として乗り越えて、すばらしく成長していくことでしょう。それができるように、神様、守護霊様に祈ることも大切です。そして、子供を勇気づけるかかわり方の第一は、子供の話をじっくりと聞いてあげることです。子供を否定せずに共感的な反応をするように心がけましょう。前世療法のなかで得られる守護霊からのアドバイスでも、子供に対して「よく話を聞いてあげるように」といわれることがしばしばあります。

そして、**親から子へとかける言葉としてもっとも大事な言葉は、「生まれてきてくれてあり**

がとう」です。親になるということは、わが子となって生まれてきた魂の向上をお手伝いさせていただくという、神様の御用を担当することなのです。そして、生まれてきた魂が未熟な段階にある幼い魂だった場合は、特にその要素が大きくなります。これとは逆に、未熟な親を支えたり、助けたりするために、子供として生まれてくれる魂もあります。いずれの場合であっても、わが子となって生まれてきた魂に対して、わたしたちは「生まれてきてくれてありがとう」と何度も何度も伝えていくことが大切なのです。

一方、再婚も含めて、これから理想の伴侶を探したいという場合、あなたがまず成すべきことは、守護霊への立志発願と、推奨神社での立志発願をおこなうことです。良き運命を創造しようとするならば、まず最初にお祈りからはじめるのです。

神様に、自分が伴侶を得てどのような人生を築いていきたいのかを立志発願しましょう。どのような人物を伴侶として得たいのかを、詳しく神様に申しあげてください。どんな性格、どんな容姿、どんな趣味、どんな生き方の相手なのか、細かな要素を祈りのなかでできるだけ言葉に表現して、神様、守護霊様にお伝えします。

大切なことは、「価値観、人生観が一致する相手とご縁が結ばれますように」という言葉を必ず添えておくことです。

ある夫婦が、円満な方向に進んでいくか、関係が崩壊する方向に進んでいくかの分水嶺は、価値観、人生観の一致があるかどうかだからです。

もちろん、二人の人間の価値観、人生観がまったく同一ということはありえません。それでも、できるかぎり価値観、人生観が重なる相手の方が円満にすごせます。とりわけ、信仰的世界観の一致は重要です。あなたが生まれ変わりや因果応報を信じ、守護霊や神様を信じていても、パートナーがまったくそれを信じていないなら、さまざまな場面で、進むべき道を選択する際に、意見の不一致が起こるリスクが増加するでしょう。

あるいは、パートナーが特定の偏った新興宗教やカルト宗教、政治思想を信じ込んでいるならば、ともに歩むことは難しいかもしれません。夫婦に子供が生まれた場合、教育方針をめぐって夫婦で対立することにもなりかねません。

価値観や人生観が一致していれば、結婚後も夫婦で心をあわせて神仏に祈り、天佑神助を授かりながら、人生を協力して切り開いていくことができるでしょう。

それでも、結果として価値観にズレがある相手と結婚したとしたら、それは前世からの因果応報の清算のためだったということです。その試練を通じて、前世の負債を返済したということです。

そうなった場合も、あなたがこれからの人生をどう生きるかは、あなたの自由意志に任されています。より良い人生を目指して悪縁の伴侶と別れ、新たな人生を歩みはじめることもできますし、伴侶を少しずつ善導していく道を選択することもできます。

ともあれ、**これから相手を探す場合は、候補者をよく観察し、その人の価値観や人生観を見極めることが大切**です。そして、できるだけ、運が良い人を探す努力をしましょう。運が悪いというのは、それだけ前世から持ち越したカルマの負債が大きいということなのです。運が良い人の特徴は、明るく前向きな考え方をすることにあります。また、誠実で勤勉であることも運が良い人であることを示しています。反対に運が悪い人は、考え方がネガティブで愚痴や不平不満が多く、そして努力が嫌いであったり、すぐに人を裏切る傾向があります。

良い人と結婚できたとしても、そこで油断をすることなく「夫婦円満でありますように」「夫婦がお互いに理解しあい、支えあい、助けあえる関係でありますように」と、立志発願のお祈りを続けていくことが大切です。

日常的な会話においても、注意すべきことがあります。それは、相手を責めないということです。自分が何を考えているのか、自分の気持ちや思いについて、面倒がらずに言葉で伝えていくことが夫婦円満を維持するために大切です。

自分がどうしてほしいのかを率直に伝えれば円満に物事が進むのに、相手を責めることで意図を伝えようとする人がいます。

相手への責めや批判、攻撃などは、「勇気づけ」の反対の行為です。相手のやる気をなくし、関係を悪化させる要因となります。否定よりも肯定を心がけ、「勇気づける」ことや、相手にていねいに依頼することをめざしましょう。そして、**相手を勇気づけるもっとも効果的な行動は、その人をほめたたえること**なのです。ほめたたえあう夫婦、ほめたたえあう親子、ほめたたえあう兄弟姉妹は、必ず円満に和合するのです。

子育てで大切なこと

子育ての問題で悩む場合、その原因はむしろ親の側にあります。子供に問題があるので前世療法で治してほしい、という相談がしばしばありますが、著者は必ず、親が先に前世療法を受けるべきであると回答しています。

親が変わることなくして、子供が変わることはありません。

ところが、親は「自分は悪くないので改めることなどない。子供に問題があるので子供を変えてくれ。自分は変わりたくないけど、子供には変わって欲しい」といった要望をしてきます。

子供に、引きこもり、不登校、家庭内暴力、非行などの問題がある場合、子供を救うには、親が、生き方を積善と信仰に基づくものに改めることが必要なのであり、親の変化なしに子供の問題が解決することはありません。

以前、中学生の娘C子さんを、自分の髪の毛をどんどん抜いてしまう異常な行動をするので治してほしいと言って、著者のところに連れてきた母親がいました。話を聞くうちに、C子さんのこのような行動の原因は母親にあるとわかったのです。

C子さんは、単身赴任で遠方にいる父親に内緒で、母親がこっそりと別の男性と交際をしていることを知っており、そのことが許せなかったのです。この母親は、物事を何でも人のせいにして自分を省みることがなく、何かにつけて「わたしは悪くない」を繰り返す自己中心的な傾向があり、C子さんはそのことにもストレスを感じていました。

母親の人格と生き方に問題があるから、娘がそれを大きなストレスに感じて、異常な行動でそれを発散していたのです。

著者が、母親の間違った生き方を改めることこそ、娘を苦しみから救う唯一の方法であると説明すると、この母親は「わたしを責めないで！」と怒り出したのです。そこで著者は、C子さんではなく母親の方にメールカウンセリングを受けるように説得しました。

根気よくメールカウンセリングを続けるうちに、C子さんの母親は、自分の生き方が積不善であり、その因果応報で自分も娘も不幸になっているということを理解しはじめました。積善の大切さに気が付いて、しだいに生き方を改めていったのです。

そして、不行状な行動をやめ、日々、積善を重ねる生き方を目指すようになっていきました。

C子さんに対しても、ダメ出しや、束縛、責める言葉などを発していたのですが、それも少しずつ改める努力を続けた結果、約半年後にC子さんの異常な行動はピタリと止んだのです。

因果応報の法則は、わたしたちの前世と今生のあいだに働いているだけではなく、家系という集合体にも作用しています。このことを四書五経の一つ『易経』ではこのように教えています。

「積善の家には必ず余慶有り。積不善の家には必ず余殃有り」

これは、「善行を積み重ねた家には、その報いとして必ず幸せが訪れる。悪行を積み重ねた家には、その報いとして必ず不幸が訪れる」という意味です。

家系という集合体にも因果応報が作用しているのです。祖先がおこなった積善や積不善の果報は、それを実行した当人にも戻りますが、同時に、子孫にも報いがもたらされます。したがって、積善を重ねている祖先を持てば、子孫は家運隆昌となります。世のため人のために尽くした祖先の功績があると、その子孫は幸せになるのです。

反対に、祖先の重ねた悪事の報いは、悪事を働いた当人にも戻りますが、同時に子孫にも災いをもたらすのです。祖先が悪行を重ねていれば、子孫は不運不幸となります。このような家系の因果応報について知ると、先祖や親のおこないの報いを子孫が受けるのは理不尽だと思う人もいるでしょう。しかし、これは理不尽どころか、きわめて合理的なのです。

これは、その積不善を重ねた祖先の子孫に、なぜ自分が生まれ変わったのかを考えるとわかります。そのような不運な家の子に生まれ変わるだけの原因が自分にあったからです。あなたもまた、前世で相応の積不善をしていたのであって、それにふさわしい家に生まれ変わったにすぎません。**わたしたちは誰でも、父方、母方から半々に家の因縁を受け継いでいますが、それは前世で自分がこしらえたカルマと同レベルのものなのです。**

家系の因果応報の仕組みによって、積善の果報は、あなた自身だけではなく子孫にも及ぶのです。「親の因果が子に報う」という格言は真実です。積善の果報だけでなく、あなたの積不善の報いもまた、子や孫の人生に何らかの悪影響を与えてしまいます。だからこそ、子供の問題を解決したいと願うのであれば、親が生き方を改めなければならないのです。それは積善と信仰を柱とした、魂を磨く生き方をまず親が実行するということなのです。

人生は失敗だったのか？

ところで、離婚をした女性から「わたしの人生は失敗だったのでしょうか」と相談を受けることがあります。これについては、F子さんの事例で説明します。F子さんは、三十才のときに、二つ年下の男性に求婚されて結婚し、まもなく息子が生まれました。ところが、夫はモラハラをする人でした。

夫は、給与を全額渡さず、生活にギリギリのお金だけをF子さんに渡し、残りはすべてギャンブルやマネーゲームに使ってしまいました。F子さんは、毎月ギリギリの生活のなか、夫からの暴言やいじめに耐えて息子を育てたのです。彼女は、自分が夫を受容し、愛情をもって支えていけば、夫がいつか変わると信じて耐えていました。

しかし、夫の妻子への言葉の暴力がなくなることはありませんでした。機嫌が悪くなると三時間でも四時間でも、自分の主張をしゃべり続けるのです。一言でも否定や批判をすると烈火のごとく怒り、さらに数時間の「お説教タイム」が続くのでした。やがて、息子はそのストレスのために登校拒否になってしまいました。

息子が登校拒否を乗り越えてなんとか高校を卒業したとき、F子さんの我慢は限界に達しました。そして彼女は夫と離婚したのです。F子さんは著者に言いました。「先生、わたしは、この夫と結婚するという大間違いをして、人生の時間を無駄にしてしまいました。もう、取り返しがつかないところに来てしまいました。五十才を過ぎて、これから、どうやって人生を立て直せばよいのでしょうか」と。

離婚のことにかぎらずとも、F子さんと同じような気持ちでいる人はたくさんいるのではないでしょうか。

Ｆ子さんは、二十年もの時間をモラハラ夫の仕打ちに耐えて、苦しみのなかで過ごしてしまったのですが、そもそも、なぜこの夫と結婚してしまう運命となったかを考える必要があります。同時に、なぜ離婚できて、自由の身になれたかを考える必要があるのです。

避けようがない形で降りかかってくる災難というのは、すべて、自分の前世での行為の因果応報です。その意味で、Ｆ子さんがこの男と結婚してしまったのは、前世のつぐないのためであり、自業自得であったといえます。前世ではＦ子さんが弱者を苦しめる立場だったのです。

二十年間も苦しみ、彼女はその前世でつくってしまったカルマの負債の返済がことごとく済んだのです。そして、カルマの負債がなくなったからこそ、運が開いてきて、無事に離婚することができたのです。つまり、ここから先の人生は、これまでよりも大きく開運した幸せの多い人生になるということです。今は人生百年の時代ですから、まだ人生が半分残っているではありませんか。

Ｆ子さんが成すべきことは、これからの人生をすばらしいものにして、人生の最期に満足感が得られるようにすることです。自由意志を発揮して、自分を軸とする生き方で、自分を幸せにするのです。人生は今生で終わるわけではありません。死後は霊界での暮らしが待っていますし、その先には来世も待っています。これから、積善を柱とする生き方を貫いていけば、人生は良くなる一方です。これまで苦しんだことも、これからの人生にすべて活かされるのです。

「この夫と結婚してなければ、また別な人生があったのでしょうか」と重ねて問うF子さんに、著者は「もし、別の男性を選んでいたとしても、別な形で同じような苦しみが降りかかったことでしょう」と答えました。前世からのカルマの負債があるかぎり、どんなルートを進んでも、一定の苦悩がやってくることは避けられないからです。

もし、もう少し負担の軽い分割返済ルートでカルマの負債を返していたらどうでしょうか。その場合、返し終わるのにもっと時間がかかったかもしれません。長く弱い苦しみを選ぶか、短く強い苦しみを選ぶか……F子さんの場合、人生の時間がたっぷり残されていたので、「早く負債を返せてよかった」と受け止めることもできます。過去について、くよくよ後悔して暗い気持ちになるのではなく、今と未来をすばらしくするために、すべてを前向きに受け止めて「これが最善の道だったのだ」と考えていきましょう。そのように明るく前向きな気持ちで進むならば、神仏の加護も増しますから、きっと良き未来が引き寄せられることでしょう。そして、**わたしたちが、人生においていかなる苦難に直面しているときも、「これは魂を磨くための尊い試練なんだ」と受け止めて、前向きに乗り越えようとするならば、それは天国界の住人の心と同じ境地なので、守護霊団は最大限の支援を与えてくれるのです。**

3. 金運をあげる方法

永続的に豊かになるには

第三章でも解説したとおり、金運には、正しい神の加護によって授かる金運と、そうでない金運が存在します。安易に大金を得ようとするギャンブル、マネーゲームは、たとえ大金を得たとしても、自分の前世の徳分という貯蓄を現金に換えて引き落としただけであり、お金として得た分だけ幸運になる力が失われているのだということを忘れてはなりません。

永続的に豊かになり、幸運にも恵まれていくためには、積善につながる形でお金を得る道を歩むことが重要です。社会に有益な事業を営む会社に雇用されて働けば、自然と積善ができます。自分が労働した分が報酬としてすべて返ってくると積善の要素はありませんが、たいていの仕事は、給与以上に善意と真心で働くことができますから、給与に反映されていない利他の働きが必ず出てきます。その部分が積善となります。

ですから、大部分の人は、誠実に善意をこめて愛と真心によって仕事をしていけば、おのずと積善ができるようになっているということです。反対に、社会常識に反するほどの暴利を貪る仕事や、詐欺のような虚業であれば、積不善をしていることになり、マイナスのカルマがどんどん積みあがります。そんな方法で一時の大金を得たとしても、最終的には、因果応報が働いて、いつか自分に不幸が戻ってくるでしょう。虚偽や詐欺によって大金を得るようなやり方は破滅への道であるということです。

永続的に豊かになるには、積善をすることです。仕事において積善をするには、雇用されて働くことのほか、自営業や会社経営という道もあります。いずれにしても、仕事をするとき、世のため、祖国日本のため、人のために、有益な事業をおこなって、積善を重ねていくことが大切です。積善という観点を見失わなければ、仕事をすることが真の豊かさにつながります。

お金に困っている人ほど、財徳がないということですから、財徳を増やす努力が必要です。財徳というのは、お金や物を利他のために施すことで積みあがる徳です。たとえば、財布の小銭のような少額からでも、コンビニにある募金箱などに募金をこまめにおこなうというやり方もあります。

また、**毎月の収入のなかから積善のために使うお金をとりわけておく**のも良い方法です。そうやって確保した分は、推奨神社に参拝してご祈祷を受ける費用にあてたり、チャリティにあてたり、自分の魂の向上につながる勉強や実践のために使うようにすれば、財徳が増えて、金運が向上します。

このような心がけを持ち、神仏の加護厚き人となれば、不意の出費がしだいに減っていきます。車の事故で修理のためお金がかかったり、思わぬ病気のため入院してお金がかかったり、自然災害に巻き込まれて財産を失ったりと、予期しない災難で多額のお金を失うといったことがしだいになくなっていくのです。**不意の出費という災厄がしだいに少なくなるということが、財徳が増えると最初に起きてくる現象**なのです。

不意の出費や、だまされて財産を失うなどの不運不幸の本当の原因は、自分自身の前世からの因果応報です。だませばだまされる、裏切れば裏切られる、奪えば奪われる、というように因果応報は働きますから、金運向上を願うのであれば、お金に関して、他者を不幸な目にあわせることのないようにしなければなりません。機会があれば、他者に食事をおごるようにしたり、プレゼントをあげたり、車で送ってあげたりといった形で積善を重ねていきましょう。

積善により正しい神の加護を授かって豊かになる、という視点が欠如したまま、お金、お金と、亡者のように求めることは危険です。欲望まみれの心で金運を求めると、邪霊とつながるからです。世にある金運のパワースポットと称されるような神社仏閣は、人の欲心とそれを餌にする邪霊の巣窟となっています。

豊かになることを願うのはけっして悪いことではありません。むしろ、本当に正しい生き方ができていて、豊かになるとの立志発願が伴っていればしだいに豊かになっていくのです。いつまでたっても豊かになれないと悩んでいる人は、今すぐに生き方を変えて積善の道を歩んでください。そのうえで推奨神社に参拝し、加護を祈願することです。ほんとうのところ、**正しい金運によって得るお金とは、神様が与えてくださっているものなのです。**

ところで、募金をするお金さえもないほどに、お金に困っている場合でも、積善を実践することはできます。**お金や財産を使わずにできる「無財の七施」という積善の教え**が仏教に伝わっています。これはお金を使うことなく誰でもできる七つの善行（布施）です。宗派により言い方が微妙に違いますが、ここで一例をあげておきましょう。

【1】慈眼施（じげんせ）
常に慈悲の眼で人を観（み）ることです。
人の幸せを祈る心で社会や人々を見つめましょう。温かく優しい眼差しを向けることは、積善の一つです。この反対は、人の不幸を喜ぶ心や憎しみを他者に向けることです。

【2】和顔施（わげんせ）
和やかな微笑みを人に向けることです。

笑顔は、人の心を和ませて幸せにします。いつもニコニコと笑顔で接することも積善の一つです。この反対は、怒りの顔で人を睨みつけたり、冷たく無視することです。

【3】愛語施（あいごせ）

思いやりのこもる言葉を人に放つことです。

愛と真心がこもる言葉は人の心を救います。他者を勇気づける言葉も愛語です。ときには相手のことを思って、厳しいことを言わなければならないこともあるでしょう。その場合も、怒りや憎悪の心ではなく、胸の内に相手への愛の念をたぎらせて発する言葉であれば、言葉の奥にある温かい愛の念が相手の魂に伝わるので、それは愛語となります。この反対は、ダメ出し、悪口、不平不満、相手を責めることです。

【4】捨身施（しゃしんせ）

自分が動いて、人のために何かしてあげることです。

荷物を持ってあげる、何か作業を人の代わりにしてあげる、ゴミを拾うなどの行動も捨身施です。この反対は、他者をこきつかう、自分でなすべきことを他者にさせる、ゴミを平気でポイ捨てするなどです。

【5】心慮施（しんりょせ）

他者の気持ちに配慮し、相手の立場になって考えることです。このような心慮をする際にも、「自分を軸とする生き方」がきちんとできていることが大切です。それがないと、自分の軸がなく、周りの思惑に流されるばかりとなってしまいます。

【6】床座施（しょうざせ）

座席や場所を与えることを意味します。

たとえば、電車やバスなどの公共の乗り物で席を譲ることがこれにあたります。お年寄りや妊婦さんにとっては、こうした親切はたいへんありがたいものです。

また、地位や役職にふさわしい人材を推薦して、その席に就かせることも床座施の一つです。これには、選挙に行って投票することも含まれます。もちろん、社会や国家に役立つ人材を推挙することが積善につながります。祖国日本の尊厳を守り、国益を守ってくれるような政治家を誕生させるというおこないが積善となるのです。

【7】房舎施（ぼうしゃせ）

家や部屋を提供することを房舎施といいます。

友達を一晩家に泊めてあげることも房舎施です。

房舎施を実践しやすい職業の一つが、賃貸物件の大家さんのお仕事です。家賃として報われる部分は積善になりませんが、それ以外の部分で借り手のためにさまざまな善意を尽くし、誠実な経営を心掛けるなら、収入を得ながら積善ができます。

さて、ここまで述べてきたとおり、永続的に豊かになるには、何らかの形で積善を続けていくことが不可欠です。**積善は、あなたに財徳をもたらし、豊かな暮らしを実現させるための王道でもあるのです。**この基本を知ったならば、あとは一生懸命に精進努力して仕事をしていけば、財徳は後からついてきます。

積善によって豊かになった人は、死後の世界においても、積善の果報によって、天国界やそれに近い霊界の住人となることができます。生まれ変わっても、財徳に恵まれた豊かな人生がめぐってくることになるのです。

反対に、他者をだましたり、ぼったくりをしたり、詐欺などの犯罪で大金を盗み取れば、積不善によるマイナスのカルマを生じますから、やがて不運不幸に陥ることになります。そして、**一攫千金のマネーゲームで儲けるなら、前世からの善徳の貯金を失うことになります。**前世からの善徳の貯金が莫大にある人は、そんなやり方でもしばらくはやっていけるかもしれません。

それでも、時間が経過するほどに善徳の貯金は尽きていきますから、やはり最後は報いを受け取ることになるでしょう。

積不善をした場合は、さらに家系にもマイナスのカルマを残してしまうことになりますから、子孫もお金で苦労する人生になります。「金持ち三代続かず」というのは、悪事をして金持ちになっても、家系の因果応報によってその報いを受け、最終的には没落して子孫がお金で苦労するということを意味しています。

一方で、**積善によって豊かになった場合は、それが子々孫々にまで継承されて、繁栄の道が整います。子供として生まれてくる魂も、聡明で霊層が高い魂が授かるようになっていきます。**

もし今、多額の借金をしていたり、お金で損してばかりだったり、病気や災難でお金がどんどん出ていくような人生ならば、前世の自分が悪い方法でお金を得ていたのかもしれません。そして、祖先もまた、同じような積不善を重ねていたのかもしれません。

このような人は、さらなる積不善を避けるためにも、積善の志を立てて、神仏の加護厚き人となれるよう、生き方を大転換することが大切です。ここまで解説したとおり、積善にはさまざまなやりかたがありますから、できることからはじめてください。

ちなみに、**もっとも功徳が大きいのは、準備、段取り、後始末、後片付け、掃除、整理整頓、人のお世話などの、下座の業です。**こういった縁の下の力持ちの活動は、多くの人が嫌がる傾向にありますが、もっとも大切な、魂を磨く積善の修業です。

そして、下座の業の反対は上座の業です。上座とは、人の上に立って指示したり、命令したり、あるいは、檀上に立って講演して目立ったりする活動ですが、これらの活動は、本人に充実感や満足感が多いかわりに、前世からの徳分を消費していることになります。上座の活動では、社会に大きな影響を与えることができるので、大きな積善をして、たくさんの徳分を積み上げることもできます。その一方で、社会的に目立ち、名声を得ているので、徳分の消耗もたいへん大きいのです。この弊害を最小限に抑えるには、積善にいっそう心がけ、同時に下座の業をしてバランスをとらなければならないのです。

どれだけ社会的に成功しても、どれだけ地位や名誉を得ても、下座の業の精神を忘れていない人というのは存在します。会社の創業者なのに、毎朝会社の前を掃除しているような人物がいたり、校長先生が毎朝、校門の前をほうきで掃除していたり……そういう奇特な人物のエピソードを見聞きしたことがあると思います。人の上に立つような地位に就いても、このような下座の業を大切にすれば、徳分を失わず、積善をいっそう重ねていくことができるのです。

欧米や諸外国では、こういった立場にある人がこまごまとした仕事をするという事例は少ないようです。日本人がいかに下座の業の大切さを理解しているか、ということを示すエピソードであるといえるでしょう。

雑用などの下座の業は、根気や忍耐といった徳性を養うことにつながります。コツコツと努力を重ねる根気や、面倒臭いことを厭わずにやり遂げる忍耐力は、わたしたちの魂にとって、この世で磨くべき大切な能力であり、意志力を強化することにつながるものです。

下座の業のなかでも、人のお世話というのはとくに積善の功徳が大きいものです。人の悩みの相談に乗ってあげたり、勇気づけてあげたり、良き道へと導いてあげることは、たいへんな労力が必要ではありますが、これは、すばらしい積善なのです。

この世の苦労を通じて、強い意志力と深い慈愛と聡明な叡智を養うことが、魂が完全円満、万能自在な存在に近づいていくための修業です。意志、慈愛、叡智の三大特性のなかで、もっとも重要なものが意志力です。意志力が陽にあらわれれば勇気となり、陰に現れれば忍耐力となります。人のお世話というのは忍耐力がないと絶対にできないことです。人のお世話の中に、魂を磨く要素がすべてそろっていますので、魂の修業として、もっとも有益な善行なのです。

吉方位・風水・お守り・占い等の本質

ところで、世の中には、金運をアップしようとして、吉方位に旅行や引っ越しをしてみたり、金運アップのパワーストーンに頼ったり、特別な財布を買ったりすることに意味があると考えている人も多いようです。タロットや易、四柱推命、星占いなど、占いに頼って金運アップをめざす人もいます。しかし、これらの金運アップ法は、実際には有害なのです。

方位の効果で運を上げようとした場合、たとえば**吉方位に行ったら幸運が起きるというのは、前世の徳分の貯金をそこで引き落としているだけです。徳分にはかぎりがありますから、吉方位への移動を繰り返せば繰り返すほどにやがて徳分が枯渇し、運勢が行き詰まります。**それに、方位ばかり気にしていたら、人としての行動が不自然に制限されてしまいます。これでは本末転倒です。

人間は生きていくなかで自然のうちに、さまざまの吉方位や凶方位にさらされて因果の清算をしているのであり、これを意図的に歪めて方位の作用を発現させるようなことを繰り返していれば、あとで必ずしわ寄せがくることになります。

たとえば、凶方位に移動すれば、前世のカルマの負債の清算が加速することになります。だからといって、早くマイナスのカルマを清算しようと、凶方位をわざわざ選んで引っ越しや旅行を繰り返せば、一気に不運になって、病気や事故に会ったり、人間関係で行き詰まったりして、大変なことになります。

分割返済で済んでいるところを、意図的に一括返済で負債を返すようなことをするわけですから、あまりの苦しみに性格が歪んだり、再起不能になったり、そこから人生がおかしな方向に歪んでいくこともありえます。反対に**吉方位ばかり取れば、そのときは良いことがあるかもしれませんが、それを繰り返せば、やがて幸運の貯蓄が尽きて、あるときから、一気に人生が転落していくことになりかねません。**このようなことを我力でやらずとも、天佑神助を授かる生き方をしていれば、神様や守護霊が自然の導きの中で、必要に応じて試練を与え、魂を磨いて下さるのです。そのほうがよほど安全であり、他力の導きによって魂が健全に育成される道なのです。人生の中で避けようのない形で、凶方位への転勤や出張があったときは、開運の前の試練なのだと、前向きに受けとめて乗り越えていくと良いのです。その試練でカルマの負債を減らし、同時に人としての経験値を高めて、次にやってくる開運期の準備をしているということです。

パワーストーンや風水、お守り、各種の占いなども同じで、このようなものをどれだけ活用したところで、**人間は、結局、自分の前世から持ち越した徳分と、今の生き方のなかで積み重ねる、積善の福徳のレベルを超えた幸運を手に入れることなどできないのです。**その意味では気休め程度にしかならないものだと考えて良いでしょう。

　占いで最初から正解を得たいという思考は、失敗を避けたい思いから生じています。しかし、そもそも失敗をすることで魂は磨かれるのであり、最初から失敗を恐れていては成長や飛躍はできません。占いの結果で判断することよりも、自分の自由意志をどう発揮するかのほうがはるかに大事なことです。**どんな占いであろうと、占いに凝ることは魂を磨く正道ではありません。やがて必ず邪道に陥ります。**誰でも自分の進むべき道について悩んだり迷ったりするものです。そんなとき、占い師や霊能者に相談したくなる人もいるでしょう。しかし、そのような危険を冒さなくても良いのです。それよりも、本書でお伝えした「神様を軸とする生き方」を心がけ、お祈りのなかで推奨神社の神様や守護霊に悩みや迷いについて素直な心で問いかけていけば良いのです。日々のお祈りのなかで問いかけていけば、日常生活での自然な気づきやひらめきによって、進むべき道がわかってくるのです。これこそがもっとも安全な「運命の切り開き方」です。

　カルマの負債をあがなうための苦難をのりこえる努力も、積善を成すための努力も、どちらも、あなたの魂を磨いているのです。積善をおこなうときも、さまざまな障害や葛藤をのりこえる必要があるものです。そうした苦労のすべてが魂を磨く砥石（といし）となって、あなたを完全円満な存在に近づけていきます。

積善を志し、魂を磨いて、神様に守られる生き方を積み重ねること以上に効果がある開運法など存在しないのです。このことをどうか、完全に理解していただけるように願っています。

コラム5

「国の借金」の話

「国の借金が千百兆円を超えている」という言葉をテレビや新聞で見たことがある方も多いと思います。その借金を国民が将来返さなくてはいけないから、増税しなければならない、といった主張もよく目にします。実は、これは真っ赤な嘘であって、大間違いなのです。

わたしたちが知っておくべきポイントは「**日本は通貨発行権のある主権通貨国である**」ということです。わかりやすく言うと、**日本政府は自由にお金を生み出せる**ということであり、いわば「**打ち出の小槌**」を持っているようなものだということです。日本政府がお金を使いたいと思えば、通貨を発行して、いくらでもお金をつくって使えるということです。これは、アメリカでもイギリスでもカナダでもオーストラリアでもあてはまる話です。

多くの人は、税金だけが国の財源として使われていると思い込んでいます。しかし、そうではないのです。通貨発行が自由にできる以上、「国にはお金がない」などということはありません。**いくらでも必要なだけお金を生み出せるのが主権通貨国です。だから、ほ**

んとうは消費税も必要ないし、増税も必要ありません。

では、どうして税金を取るのかというと、インフレを防止するためです。インフレというのは、国中にお金があり余る状態です。こうなると物価が上がり、お金の価値が下がります。それを防止するために適度に税金をとって、インフレを抑制しているというのが税金の第一の意義です。

現在の日本はまだデフレです。なぜなら、平成時代、政府が金をできるだけ使わず、増税し、緊縮財政を続けてきたからです。デフレとは、社会にお金が足りない状態です。そのせいで景気が悪くなり、国民一人あたりの年収はどんどん減って、ＧＤＰがほとんど成長しない状態が二十年以上も続いています。

国民を豊かにするためには、緊縮財政をやめて、政府がお金をどんどん使わなくてはいけません。政府の支出は国民の収入です。誰かの赤字は誰かの黒字、政府の負債は国民の資産です。

政府がお金を使うための財源は、税金ではありません。税金も一部は使われますが、一番の財源は国債です。マスコミが「国の借金が千百兆円を超えている」というのは、国債の発行総額のことを言っているのです。しかし、これは国の借金などではありません。日本はどこの外国からも借金をしていません。むしろ他国にお金を貸している側の国です。

正しくは、国債とは政府の負債なのであって、この政府の負債をどうやって返すかといえば、政府が通貨発行をして返すのです。市中の銀行が保有する国債を日銀が買い取ることで、それはおこなわれています。日銀は政府の子会社ですから、日銀が買い取った時点で、その負債は消滅したことになるのです。**日銀は国債を買い取る時に何を財源としているかといえば、何も財源はありません。口座に数字を入力するだけでお金が生まれるのです（通貨発行）。これが現実です。**したがって、「財源がないので増税しなくてはいけない」という理屈は通りません。消費税はゼロで良いのです。医療費でも介護費でも防衛予算でも警察官の給料でも、高速道路や新幹線の建設でも、あらゆる国の活動や公共事業の財源は、国債を発行し、お金を生み出すことで対応できます。むしろ今はデフレなのですから、もっと政府が公共事業などでお金を使う必要があります。**政府がお金をどんどん使うことで、お金が国民の手に渡り、デフレが解消され、国民の平均年収が増えて豊かになります。**

やがて、デフレが解消されていって、インフレ率が数パーセントになってきたら、その時点で、はじめて、それ以上インフレにならないように増税したり、政府の支出を減らすようにすれば良いだけです。そして、今はデフレですから、政府はもっと減税し、もっとお金を公共事業などに使わなくてはならないのです。デフレ脱却のためには、毎年百兆円の財政出動を追加していかなければならないと専門家は述べています。

こうしたことを説明しているのが、現代貨幣理論（ＭＭＴ）です。ＭＭＴについては、中野剛志氏の『目からウロコが落ちる 奇跡の経済教室【基礎知識編】』（ベストセラーズ）に、経済についてよく知らない人でもわかるような説明の仕方で詳しく解説されていますのでおすすめです。また「日本の未来を考える勉強会」という議連と「日本の尊厳と国益を護る会」という議連が、この問題に真剣に取り組んでいます。

政府の財政支出が増えれば増えるほど、国民すべてが豊かになり、幸せになります。財源が事実上無限にあるなら、防災事業も、リニア新幹線も、東京一極集中の緩和も、防衛予算や科学振興予算なども出し惜しみする必要はありません。福祉についてもいくらでも支出できるのですから、貧困問題や少子化問題も解決できます。日本国民の学費を全額政府が負担しても良いのです。デフレ状態の日本がどれだけ財政出動しても、ハイパーインフレになることなど絶対にありえないのです。消費税をゼロにし、財政支出を今よりも年間百兆円増やしたぐらいでは、日本が財政破綻することなどありえないのです。

神社参拝の際には、日本政府が増税や緊縮財政をやめ、積極財政に転換するよう祈りましょう。とりわけ急がねばならないことは、消費税を一日も早くゼロにすることです。消費税は貧しい人ほど重い負担となってのしかかる仕組みであり、消費を抑制するので、日本経済がどんどん沈んでいく最大の原因となっています。推奨神社に参拝したら、消費税が廃止され、貧困に苦しむ人々が救われるよう、愛の念をこめて神様にお祈りするようにしてください。そして**国政選挙に足を運んで、消費税をゼロにすると明言しない政治家は当選できないようにすることも大切**です。これらもすべて大きな積善なのです。

おわりに

本書では、積善によって造命、立命する方法を詳しく解説しました。

積善という生き方の土台があってこそ、神仏の加護を受け取ることができるようになると、わかっていただけたと思います。**神仏の加護、天佑神助を得る条件は、神仏の御心に適う生き方をしているかどうかです。**

神仏の御心に適う生き方というのは、けっして堅苦しいものでもなければ、禁欲主義なものでもありません。せっかくこの世で生まれたのですから、豊かになったり、好きな仕事をしたり、良き人間関係や異性に恵まれたりして、この世でしか経験できない楽しみ、喜びを思いきり味わって良いのです。

そのために、因果応報の法則を理解し、良き種をまく努力をしましょう。良き種をまけば、永続的な幸せという果実が得られます。反対に悪しき種をまけば、因果応報の法則によって苦しみがめぐってきます。本書を読むことで、何が良き種で、何が悪しき種であるかを明確に理解できますから、道に迷うことはありません。

良き種をまく過程において、さまざまな困難が伴うかもしれません。しかし、それらの苦しみは過去からの因果応報の作用であって、乗り越えなければならない試練なのです。その試練を乗り越え、困難を克服することで、わたしたちは生まれてきた目的を果たすことができるのです。

自己実現して、満足できる幸せな日々を手に入れるためには、幸運に恵まれた人間になることです。その一番の近道が積善の生き方を通して魂を磨くことです。そうすれば、あなたは願望即成就（願ったことがすぐ叶う状態）の人間に近づいていきます。本書で説いた積善造命法は、神様を軸とする生き方でもあります。それは、神様と二人三脚で人生を歩んでいくことなのです。自分の我力だけで生きていくことには孤独感が伴うものですが、**神様と二人三脚で生きる人は、いかなるときも孤独ではありません。迷ったときも神様に問いかけて、教えてもらいながら前に進むことができるのです。**本書で詳しく解説したとおり、正しい方法で神仏の加護を授かって、人生を順風満帆なものにすることは可能なのです。

そのためには、本書の内容を理解し、実践していかなくてはなりません。積善の道を歩んでいくとき、一人で頑張って実践できる人はそれで良いのですが、一人では迷ったり、悩んだり、つまづいたりする人もいるかもしれません。

そんな人のために、「みんなで開運しよう！魂向上実践塾」というSNSを用意しています。これはネット上の私塾です。閉鎖型のSNSを使っており、塾生になると著者に個別でメール相談ができます。茶道や華道の習いごとのような感覚で入塾して学ぶことができます。塾生は著者によるメールカウンセリングを受けることができるので、認知の歪みを解消し、運が良くなる思考へと変えていくことができます。人生で直面する出来事をあなただけの教材として、個別のアドバイスを受け取ることができるのです。

この塾で先輩たちの体験談を読むこともできます。積善の実践によって、実際にどんな成果が出ているかを学ぶと、モチベーションが上がります。**一人での実践は、ときに心細いものですが、同じ道を歩む同志とのつながりを持つことは心の支えになります。**疑問を解消し、努力を重ねていくうち、数年のうちに抱えている問題が解決へと向かいはじめ、「普遍的信仰心」と呼べる自己確立がしだいに達成されることでしょう。本書の実践に不安がある場合は、この塾を心の安全基地とすることをおすすめします。

本書は久保征章の三冊目の著書であり、前の二冊では伝えきれなかった奥深い部分をかなり突っ込んで解き明かしています。すべて前世療法を重ねる中で、確認され、解明されたものばかりです。もっと前世療法の症例の話が知りたいと思われた方は、前著『前世療法　医師による心の癒し』（東方出版）、『守護霊さんとお話して幸せになるＣＤブック』（マキノ出版）をお読みください。

本書をきっかけに、積善の生き方に目覚める日本人が増えていくことを願っています。

令和二年十月吉日　著者記す

参考文献

『こどもたちへ積善と陰徳のすすめ～和語陰騭録意訳～』袁了凡、三浦尚司著（梓書院）
『天然ホルモン実用ガイド』ジョン・R・リー著（中央アート出版社）
『放射能を怖がるな！』T・D・ラッキー著（日新報道）
『皇統は万世一系である』谷田川惣著（日新報道）
『日本の誕生　皇室と日本人のルーツ』長浜浩明著（ワック）
『目からウロコが落ちる　奇跡の経済教室【基礎知識編】』中野剛志著（ベストセラーズ）
『マンガでわかる　こんなにヤバいコロナ大不況　消費税凍結とMMTが日本経済を救う！』消費税反対botちゃん著（宝島社）

著者紹介

久保 征章（くぼ　まさあき）

内科医。日本医師会認定産業医。

1970年、和歌山県生まれ。近畿大学医学部卒。病院や診療所に勤務し、メンタル疾患に深くかかわる中で、人間の生き方や人生観こそが病気や悩みの根本原因であると悟る。人生の根本的な癒しは、現代医療の枠組みの中では難しいと痛感し、催眠療法、特に前世療法を主とした心理療法をおこなうようになる。産業医としてメンタルヘルス対策等に取り組む傍ら、2009年、京都府に「ヒプノセラピー研究所グングニルの工房」を開設。前世療法を中心とした心理療法により、人々の悩みや苦しみの解決に尽力している。また、「みんなで開運しよう！魂向上実践塾」というネット上の塾を創設し、メールカウンセリングをしながら、塾生が悩みから脱却し、理想の人生を歩んでいけるようサポートしている。

著書：『前世療法 医師による心の癒し』(東方出版)、『守護霊さんとお話して幸せになるＣＤブック』（マキノ出版）

魂の黄金法則 ～あなたの人生を好転させる積善の秘密～

2020年11月30日　初版第１刷発行
2020年12月18日　初版第２刷発行

著　者　久保 征章
発行者　韮澤 潤一郎
発行所　株式会社 たま出版
〒160-0004 東京都新宿区四谷4－28－20
☎ 03-5369-3051（代表）
http://tamabook.com
振替　00130-5-94804
印刷所　株式会社 エーヴィスシステムズ
組　版　一企画

ISBN978-4-8127-0443-1　C0011